BEAUTIFUL DEAD

Eden Maguire

Traduit de l'anglais (États-Unis)
par Luc Rigoureau

Flammarion

Titre original : *Beautiful Dead – Jonas*

First published in Great Britain in 2009 by
Hodder Children's Books, a division of
Hachette Children's Books, London, UK

87, quai Panhard et Levassor – 75647 Paris Cedex 13
ISBN : 978-2-0812-3353-9

À mes deux filles magnifiques

Chapitre 1

D'abord, j'ai entendu une porte qui claquait dans le vent. Ça m'a fait peur, parce que je ne me doutais même pas qu'il y avait une maison par ici, aussi loin de la ville, perdue dans la forêt. « Du calme, ai-je ordonné à mon cœur battant. Ressaisis-toi, Darina », me suis-je exhortée. Sauf que, à l'époque, une feuille d'arbre tombant par terre aurait suffi à me flanquer la frousse, tant j'étais larguée.

C'était deux jours après la mort de Phœnix.

Bref, tandis que je cherchais quelque chose sur cette colline – j'ignore quoi –, une porte a claqué, et mon cœur s'est affolé. Je suis montée jusqu'au sommet. C'est là que je l'ai vue : une vieille baraque en bois flanquée d'une véranda, qui menaçait de tomber en ruine ; une grange vaste et ancienne ; un réservoir à eau rond perché sur pilotis, rouillé et décrépit, comme l'était le camion garé devant l'habitation déserte, avec ses pare-chocs qui se détachaient et son toit enfoncé. Alentour, l'herbe jaune poussait à hauteur des genoux.

Le bruit provenait du battant de la grange qui s'ouvrait et se refermait au gré des rafales de vent.

À ma place, la plupart des gens se seraient sûrement sauvés.

Pas moi. Comme j'ai dit, j'étais paumée. Je cherchais des réponses aux grandes questions existentielles – amour, deuil et sens de la vie. Darina en mission, si vous voulez. Genre : comment expliquer que quatre de mes camarades du lycée d'Ellerton aient été tués en l'espace d'un an ? Jonas, Arizona, Summer et, maintenant, Phœnix. N'était-ce pas aussi tragique que bizarre ? Croyez-moi, tout le monde au bahut avait les jetons.

La dernière victime, Phœnix, avait brisé mon cœur d'adolescente. J'en avais été amoureuse longtemps, de loin. Puis, durant deux mois géniaux, nous étions sortis ensemble. La couronne que j'avais déposée en son hommage à l'endroit où il avait été poignardé était minable. S'y inscrivaient les mots : « Tu me manqueras toujours, avec tout mon amour, Darina. » Ils exprimaient à peine ce que je ressentais.

Bon, j'allais fermer cette porte avant de jeter un coup d'œil à la maison fantôme. J'avais envie d'y entrer, de découvrir le mode de vie de ceux qui y avaient résidé autrefois – les assiettes qu'ils avaient mises sur leur table, les chaises sur lesquelles ils s'étaient assis. Mais d'abord, la grange. Immense, le battant tenait par des dizaines de clous rouillés. Malgré l'obscurité qui régnait à l'intérieur, j'ai distingué d'anciens licous suspendus à des crochets, une paire de protège-pantalons en cuir poussiéreux, des râteaux et des balais couverts de toiles d'araignée.

Ainsi que tout un tas de gens debout, en cercle, qui chantaient une mélopée à l'adresse d'un type planté au milieu de leur ronde. Quand je l'ai vu, je n'en ai d'abord pas cru mes yeux. Sauf qu'il s'agissait bien de Phœnix, torse nu, aussi réel que moi.

Phœnix, qui était mort d'un coup de couteau entre les omoplates. La lame avait perforé une artère, et il s'était vidé de son sang.

Un gars plus âgé que les autres, aux cheveux gris, a avancé d'un pas pour poser ses bras sur les épaules de mon petit copain décédé.

— Bienvenue dans notre monde, a-t-il déclaré.

Bang ! Derrière moi, la porte a cogné contre le chambranle. J'ai failli mourir de peur.

— Celui des *Beautiful Dead*, les défunts magnifiques, a entonné le groupe. Tu es des nôtres, à présent. Sois le bienvenu !

Phœnix, car c'était bien lui, avait l'air complètement ébahi. Halluciné. Le regard perdu, titubant presque. L'homme grisonnant l'a stabilisé.

— Te voici revenu, a-t-il murmuré.

— De la tombe, a renchéri le cercle.

J'ai secoué la tête pour écarter la vision. « Je rêve. Qu'est-ce que c'est que ce tour de passe-passe ? » Mais ça n'a fait aucune différence. Je ne rêvais pas.

— Salut, Phœnix ! a lancé une fille en s'approchant de lui. Cool, non ? Tu te souviens de moi ?

Comme elle me tournait le dos, je ne voyais d'elle que sa longue chevelure brune.

— Et moi, mon pote, tu te rappelles ? a ajouté un mec en se détachant du groupe.

Une deuxième fille l'a suivi. Celle-ci avait des cheveux clairs qui lui tombaient sur les épaules.

— Tout va bien, a-t-elle expliqué. Je te présente Hunter. C'est lui qui t'a accompagné durant ton voyage.

Le vieux a tendu la main à Phœnix.

— Le trajet n'a pas été trop douloureux ? a-t-il demandé, comme un médecin prend des nouvelles d'un patient.

— Rien d'insupportable, a répondu Phœnix.

C'était sa voix. Grave, aux intonations paresseuses, jamais plus forte qu'une sorte de marmonnement. Il a carré les épaules, comme si ces dernières lui faisaient un peu mal.

— Hunter veille sur nous tous.

Le sourire de la blonde m'a amenée à me pencher en avant. Ce sourire merveilleux et chaleureux m'était en effet familier. Certes, les cheveux avaient poussé, ils étaient décoiffés, et la peau du visage était plus pâle qu'autrefois. N'empêche, j'ai reconnu Summer Madison. Encore une morte qui marchait, parlait et souriait !

— Il nous a tous ramenés, a confirmé la brune. Hunter est notre chef.

Tout en écoutant ces échanges, je n'avais d'yeux que pour Phœnix. À force de battre à tout rompre, mon cœur allait finir par s'échapper de ma cage thoracique. J'étais partagée entre le désir de courir vers mon chéri – de le toucher, de l'embrasser, de le serrer dans mes bras – et la terreur.

— Pourquoi ? a-t-il voulu savoir.

À présent qu'il avait retrouvé son équilibre et l'acuité de son regard, il paraissait soupçonneux. Il a plissé ses prunelles bleu-gris.

— La réponse dépend de toi, a répliqué le garçon qui s'était rappelé à son souvenir.

Me détournant de Phœnix, je l'ai contemplé suffisamment longtemps pour identifier ses yeux bleus et sa bouche pleine et bien dessinée : Jonas Jonson.

— Tu as de bonnes raisons d'être de retour, a expliqué Summer. Comme nous tous ici.

— Où sommes-nous ? Que se passe-t-il ?

Phœnix ne comprenait pas, apparemment. Pas plus que moi, qui espionnais la scène depuis ma cachette.

— Hé, secoue-toi ! a lancé la brune, mais pas méchamment. Tu n'as donc pas entendu ? Tu es des nôtres. Tu es un *Beautiful Dead*, un Revenant.

— Arizona ? a-t-il murmuré, aussi stupéfait que moi. Que fiches-tu ici ?

— J'ai des choses à régler, a-t-elle répondu en rejetant ses cheveux en arrière.

Phœnix Rohr, Arizona Taylor, Summer Madison et Jonas Jonson. Les quatre lycéens d'Ellerton qui avaient brutalement disparu. La pâleur et l'acuité de leurs traits les rendaient particulièrement beaux. La mort ne les avait pas entamés. J'ai été submergée par l'amour que j'éprouvais pour Phœnix et par un sentiment de perte irréparable.

Bang ! De nouveau, le battant de la grange a violemment résonné.

— Je m'en occupe, a dit Hunter en se dirigeant vers moi. Il faut que nous réparions ce loquet. Ça me rend dingue.

Comment vous dire ça ? J'ai paniqué. Surgissant du box où je me terrais, j'ai filé vers la sortie avant que Hunter ne l'atteigne. Il m'était égal qu'il me voie. J'ai couru dehors, j'ai dépassé la maison abandonnée et le réservoir, je me suis précipitée sur la piste bordée de trembles. Je n'ai même pas regardé derrière moi.

— Où étais-tu ?

Laura m'a sauté dessus à l'instant où je claquais ma portière pour remonter l'allée.

— Nulle part, ai-je rétorqué. Je me suis baladée en voiture.

J'avais beau me douter que mon explication lui déplairait souverainement, je n'ai pas trouvé mieux. « J'ai vu quatre morts marcher et discuter » aurait été pire, non ?

— Tu ne peux pas rouler comme ça au hasard, m'a-t-elle reproché tandis que je grimpais les marches du perron et franchissais la porte. Tu sais combien coûte l'essence ?

Sans un mot, j'ai balancé mes clefs sur la table de la cuisine.

— J'étais soucieuse, Darina !

— Sans raison.

Je me suis dirigée vers ma chambre. Laura m'a barré le chemin.

— Je *suis* inquiète, a-t-elle insisté. Tu ne parles pas. Tu ne manges rien.

— Je n'ai pas faim.

— Est-ce que tu dors, au moins ?

« Oui. En ce moment même, d'ailleurs, et je suis en plein cauchemar. Que quelqu'un me réveille ! »

— Réponds-moi, Darina.

Je n'ai jamais été très bavarde avec ma mère, surtout depuis quatre ans, quand Jim, l'Informaticien Insipide qui écume l'État pour refourguer des ordinateurs portables, a emménagé chez nous. Je n'ai rien contre Jim. Rien pour non plus.

— Je sais que tu es bouleversée, a soupiré Laura.

Bouleversée ? Essaie plutôt « détruite », « dévastée » ou « ravagée ». Comme si l'on avait fait un trou dans mon cœur, ma tête, tout ce qui me constitue. Je l'ai toisée en m'efforçant de contrôler le tremblement de mes lèvres.

— On l'enterre jeudi, a-t-elle murmuré. Brandon est passé hier au magasin s'acheter un veston sombre.

— Et si tu l'appelais par son prénom ? ai-je aussitôt protesté, cédant à la colère que provoquait mon chagrin. Pourquoi n'y arrives-tu pas ? Il s'appelle Phœnix.

S'appelait Phœnix. *S'appelle* Phœnix. L'avais-je vraiment vu dans cette grange ?

D'ordinaire, Laura m'aurait reprise pour lui avoir ainsi manqué de respect, et ça se serait terminé en bataille rangée. Ce jour-là, toutefois, elle a laissé tomber.

— Tu veux que j'écrive un mot au proviseur pour qu'il t'autorise à manquer les cours ?

J'ai haussé les épaules. J'aurais séché, de toute manière.

— Il faut que je dorme, ai-je marmonné. (La tête me tournait.) Si je ne me repose pas, je vais devenir folle.

Je l'étais déjà.

Laura s'est écartée, et j'ai enfin pu regagner ma chambre. Après m'être jetée sur le lit, j'ai contemplé le plafond. J'essayais de toutes mes forces de bloquer ce dont j'avais été témoin tout à l'heure. Je ne m'étais pas réellement rendue à Foxton. Je ne m'étais pas enfoncée entre les trembles dont les feuilles dorées voletaient. Je n'avais pas entendu une porte claquer, je n'avais pas escaladé la colline.

Rembobinez cette partie de ma journée. Revenez à l'après-midi que j'avais passé en compagnie de Logan, chez lui. À ne rien faire, sinon partager notre tristesse sans rien dire.

— Phœnix n'était pas bagarreur, avais-je décrété après un siècle de silence. Il n'aimait pas la violence.

Logan et moi étions installés sur sa véranda. Des bouteilles de bière vides s'alignaient sur la balustrade, les bottes poussiéreuses de son père traînaient sous la balancelle, là où il les avait envoyées valser en les retirant d'un coup de pied.

— Peut-être, oui.

— On devait se retrouver, avais-je poursuivi.

C'était un vendredi. J'avais attendu Phœnix dans ma voiture, près de Deer Creek, guettant sa camionnette dans le soleil couchant. Il n'était jamais venu au rendez-vous.

— Alors pourquoi ? avais-je demandé à Logan sans essuyer les larmes qui roulaient sur mes joues glacées. Que s'est-il passé exactement ?

— Tous étaient armés de couteaux, avait-il répondu doucement. Y compris Phœnix.

— Tu mens, avais-je nié en secouant la tête.

— Pourtant c'est vrai, Darina. Phœnix n'était pas un ange.

C'était alors que j'avais décidé de partir. En me levant, j'avais accidentellement renversé deux bouteilles vides qui étaient allées se fracasser sur une pierre, sous les marches du porche. Logan m'avait suivie le long de l'allée de graviers.

— Depuis combien de temps toi et lui sortiez ensemble ? Six semaines ? Deux mois tout au plus ?

Je l'avais ignoré. Mes larmes étaient celles de la colère, à présent.

— Jusqu'à quel point le connaissais-tu ? *Vraiment ?*

J'étais montée dans ma voiture en claquant la portière. Se penchant par la fenêtre, Logan avait attrapé le volant.

— Depuis combien de temps me connais-tu ? avait-il insisté. Depuis que tu es née. Crois-moi, Darina, jamais je ne te raconterais de mensonges.

— Qu'es-tu en train de me dire, alors ? avais-je riposté en mettant le contact. Que mon petit copain était membre d'un gang. Qu'il avait un couteau et méritait de mourir ?

— Mais pas du tout ! Pas plus que Jonas ne méritait de se tuer en moto, Arizona de se noyer dans le lac ou Summer de...

— Tais-toi ! avais-je hurlé. Inutile de me rappeler tous ces morts ! Et maintenant, lâche le volant.

Nous étions amis depuis la crèche, Logan Lavelle et moi. Quand bien même, la situation lui échappait complètement.

— Et moi qui espérais que tu comprendrais ! avais-je braillé en partant sur les chapeaux de roue.

Le vendredi précédent, j'avais attendu Phœnix pendant une heure près de la rivière, où Logan m'avait dénichée.

— Il y a une bagarre en ville, m'avait-il annoncé. Un truc énorme. Brandon est impliqué. Phœnix aussi.

J'avais refusé de l'admettre. Du moins, tant que je n'étais pas arrivée à Ellerton, après avoir enfreint toutes les limites de vitesse. J'étais furieuse après Phœnix parce qu'il ne m'avait pas envoyé de texto pour me prévenir qu'il ne viendrait pas. J'étais morte d'inquiétude à l'idée que Brandon, son frère aîné, ne se soit, cette fois, lancé dans une entreprise complètement dingue. J'avais déboulé en ville, et il était trop tard. La rixe était terminée. Il y avait du sang par terre.

— Et si tu allais voir un psy ? m'a proposé Laura le lendemain matin, au moment où je partais au lycée. Je me débrouillerai, pour l'argent.

— Est-ce que j'ai l'air de quelqu'un qui a besoin d'un psy ? l'ai-je remballée.

Elle a inspiré un bon coup, cependant que je filais dehors, dégringolais le perron et sautais dans ma voiture. Sur le trajet, j'ai dressé une liste.

« Principales raisons d'être malheureuse : mes parents ont divorcé quand j'avais douze ans. Mon beau-père est un raté. Le bahut me rase et il est frappé par une malédiction qui fait mourir ses élèves. Mon petit copain vient juste d'être tué... »

Les larmes dégoulinaient sur mes joues. J'étais brisée et je ne voyais pas qui, dans mon entourage, allait pouvoir recoller les morceaux.

Logan devait se croire l'homme de la situation.

Lorsque je me suis garée sur le parking du bahut, il est venu à moi. Grand, bronzé, des boucles brunes – ces cheveux qui, à la maternelle, étaient dorés.

— Salut, Darina.

J'ai brutalement refermé ma portière.

— On ne s'est pas disputés, toi et moi ? lui ai-je rappelé.

— Si. Désolé. Tu as compris de travers. Je n'essayais pas de soutenir que Phœnix a eu ce qui lui pendait au nez.

Nous nous sommes dirigés vers les bâtiments. Je marchais légèrement devant lui, tentant d'oublier sa présence. Malheureusement, ses derniers mots avaient fait mouche.

— C'est ce que pense tout le monde à Ellerton, hein ? ai-je ragé. « Phœnix était comme Brandon. Deux frères. Un ADN identique. Un même code génétique déviant. »

— Mais non ! Ne sois pas paranoïaque.

Dans le couloir, Logan m'a dépassée et m'a barré la route.

— Je ne critique pas, a-t-il plaidé. Tu es complètement chamboulée, je sais. C'est légitime. Tu vis des moments très durs.

Mon soupir a résonné comme un gémissement.

— Écoute, Logan, j'essaie juste de mettre un pied devant l'autre, pour l'instant. Alors, je t'en supplie, serait-il possible d'éviter toute discussion ?

Hochant la tête, il s'est écarté. J'ai repris mon chemin.

— N'hésite pas à m'appeler si tu as besoin de moi ! a-t-il lancé dans mon dos.

Je suis entrée dans ma salle de classe. Une fraction de seconde, j'ai aperçu Phœnix assis sur le rebord de la fenêtre, ses longues jambes étendues sur la table, les pieds croisés. Il m'a souri.

« Je suis folle ! » me suis-je répété pour la centième fois depuis ma balade à Foxton.

Puis une meute m'a entourée, et j'ai perdu de vue mon fantôme. On m'a tripotée, embrassée. Mon mec venait d'être poignardé, j'étais l'attraction du mois.

Plus tard, un rassemblement a été organisé à la médiathèque ultramoderne du lycée. Le proviseur avait convoqué tout le monde dans la salle de théâtre.

— Nous sommes ici afin de partager le chagrin que nous inspire la disparition brutale d'un de nos élèves de terminale, Phœnix Rohr, a commencé Valenti.

Personne à Ellerton ignorait ce qui s'était passé. J'étais assise entre Jordan et Hannah, le regard fixé droit devant moi. Mes voisines me surveillaient du coin de l'œil, comme si j'étais une statuette en verre qu'on risquait de laisser tomber par terre.

— Les circonstances du décès de Phœnix n'ont pas encore été totalement éclaircies, a poursuivi Valenti, debout sur la scène en costard gris, ânonnant des paroles grises. Nous pouvons cependant affirmer qu'il manquera cruellement à tous ceux qui sont réunis ici.

Des sanglots ont résonné dans la salle. Clignant des paupières, j'ai de nouveau distingué Phœnix, derrière le proviseur. Il me souriait toujours. Une occurrence, j'étais cinglée ; deux, ça réclamait mon attention. Mon cœur s'est affolé dans ma poitrine. Valenti a continué à jouer son rôle sans intérêt. Il nous a invités à observer une minute de silence, tête baissée en signe de respect.

— Pendant que nous penserons à Phœnix, a-t-il précisé, rappelons-nous également ceux qui nous ont quittés cette année. Évoquons la mémoire de Jonas, Arizona et Summer. Soyez certains qu'ils m'accompagneront aujourd'hui, tandis que je vaquerai à mes tâches quotidiennes.

« Une fichue journée. Toute la vie, c'est trop, monsieur Valenti ! »

J'ai de nouveau cligné des yeux. Phœnix avait disparu.

« Reviens ! » ai-je songé. Mon cœur avait cessé de vouloir se sauver. J'avais halluciné.

Nous avons baissé la tête pendant exactement soixante secondes, et ça a été fini.

— Lève-toi, Darina ! m'a soufflé Jordan.

Mille fauteuils pliants se sont refermés en claquant quand l'assistance s'est mise debout et a quitté les lieux.

Interrogez-moi sur la suite de cette journée, je vous répondrai que j'en ai tout oublié. Des amis m'ont adressé la parole, je ne les ai pas entendus. Croyant que j'allais m'évanouir, la prof de maths m'a expédiée à l'infirmerie. Allongée sur un lit, j'ai regardé le plafond en espérant distinguer le visage de Phœnix dans les ombres que projetait le séquoia, de l'autre côté de la fenêtre. Hannah m'a rendu visite. Je ne lui ai pas parlé. Je n'y arrivais pas.

Tout ce dont j'étais sûre, c'est que Phœnix ne réapparaîtrait pas, et qu'il faudrait que je parte à sa recherche. Je retournerais à cette vieille baraque et sa grange.

Les cours terminés, je me suis heurtée à un obstacle en la personne de Brandon Rohr. Adossé à ma voiture, les bras croisés sur le torse, il m'attendait.

Bien que frères, lui et Phœnix étaient très différents, croyez-moi. Physiquement, ils ne se ressemblaient même pas, sinon que tous deux dépassaient de loin le mètre quatre-vingts. Brandon était trapu comme un joueur de football américain, Phœnix évoquait plus la grâce d'un joueur de basket. Brandon avait les cheveux tondus de près, Phœnix gardait les siens plus longs. Brandon ne souriait jamais. Surtout en cet instant, trois jours après la mort de son frangin.

— Monte, m'a-t-il ordonné.

Nerveuse, j'ai déverrouillé les portières et mis le contact. Brandon s'est assis côté passager.

— Où allons-nous ? ai-je demandé.

— N'importe où. Démarre.

Prenant une profonde inspiration, j'ai obéi. Nous n'avons pas tardé à quitter la ville, en direction de l'ouest. Je contrôlais le tremblement de mes mains en serrant très fort le volant. Enfoncé dans son siège, mon voisin s'adossait à l'appuie-tête, les yeux fermés.

— Alors ? a-t-il marmonné.

— Alors quoi ? ai-je répondu.

Quittant la chaussée empierrée, j'ai cahoté sur un chemin de terre, vers le lac Hartmann, celui-là même où s'était noyée Arizona.

— Alors, tu tiens l'occasion de me poser des questions. Toutes les questions que tu voudras.

J'ai froncé les sourcils, peu convaincue par cette soudaine compassion. N'empêche, j'avais envie de savoir. Il y avait tant de flous.

— Phœnix... est-il mort sur le coup ?

Là où j'avais vu des traces de sang sur le sol, en face de la station-service. Ma voix était à peine un chuchotis, et j'ai dû répéter à trois reprises avant qu'il comprenne.

— Non. On l'a transporté à l'hosto. Ils n'ont rien pu faire.

— Était-il conscient ?

— Les deux premières minutes seulement. Comme il pissait beaucoup de sang, il a vite perdu connaissance.

— A-t-il... a-t-il dit quelque chose ?

— Te concernant ?

À son intonation, j'avais l'impression d'être méchante et égoïste. Il avait toujours les paupières closes.

— Oui. Il m'a mentionnée ?

— Il m'a demandé d'aller te parler.

— Pour me dire quoi ?

— Au revoir, j'imagine.

Au revoir. Deux mots.

— C'est tout ?

Le lac a surgi devant nous, argenté, étincelant sur des kilomètres de part et d'autre.

— « Dis à Darina que je suis désolé », a cité Brandon en se redressant pour fixer l'eau. J'ai dû promettre.

J'avais le cœur au bord des lèvres. Je n'ai pu réagir.

— Fais demi-tour, a lâché Brandon au bout d'une minute de silence à contempler le lac. Ramène-moi en ville.

— Qui l'a tué ? ai-je murmuré au moment où Brandon m'indiquait de me garer devant son immeuble.

— Aucune idée, a-t-il répondu en haussant les épaules.

Comme si un piège à loup s'était refermé dans son crâne, emprisonnant toute bribe d'information.

— Tu y étais, pourtant. Tu as assisté à la scène.

— Tu t'es déjà bagarrée ?

— Non.

— On était une douzaine, voire plus. Ça se cognait, se poussait, se donnait des coups de pompes. Quelqu'un a sorti un couteau, fin de l'histoire.

Il est descendu de voiture. Un bras appuyé sur le toit, il s'est penché pour me regarder droit dans les yeux.

— On organise une veillée à Deer Creek. Moi et une bande de potes de mon frère. C'était l'endroit préféré de Phœnix.

— Après l'enterrement ?

Il a acquiescé avant de s'éloigner.

Agrippant le volant, j'ai baissé la tête. J'ai fondu en larmes. Une femme avec une poussette est passée près de moi. Au bout de quelques pas, elle est revenue en arrière.

— Ça va ? s'est-elle enquise.

— Oui, merci.

Ce qui était faux, naturellement.

— Sûre ? Tu n'as besoin de rien ?

J'ai essuyé mes joues du revers de la main.

— Non, c'est gentil.

Elle m'a considérée pendant un instant avant de déclarer :

— Quoi qu'il t'arrive, ça ira mieux demain, chérie. Et encore mieux après-demain.

J'ai opiné. Elle avait sept ou huit ans de plus que moi, un bébé et la vie devant elle – un mari, d'autres enfants, un foyer. Elle m'a adressé un gentil sourire puis a repris sa route, m'abandonnant avec mes idées folles.

J'ai repensé aux événements, rêvant de pouvoir jeter un coup d'œil sur ma droite et d'y découvrir Phœnix, joyeux, me disant :

— Et si tu démarrais cette fichue caisse, Darina ?

— Pour aller où ? aurais-je ri.

— Là où elle voudra bien nous mener. Fichons le camp d'ici !

Alors, il glisserait son bras le long de mon siège défoncé, poserait ses pieds sur le tableau de bord et s'adosserait confortablement. Tout en conduisant, je verrais son profil. Il aurait fermé les yeux, le vent repousserait ses cheveux en arrière, et je serais complètement dingue de lui.

En l'état, Brandon parti, j'étais libre de retourner à Foxton.

« Vas-y ! Qu'est-ce qui te retiens ? »

Je me suis imaginé la maison vide et la grange délabrée, j'ai entendu la porte qui claquait et les feuilles des trembles qui frissonnaient dans la brise. Si ça se trouve, l'image était là, et nulle part ailleurs, dans mon esprit traumatisé et peu fiable. La ferme existait-elle ? Comment expliquer que je n'étais jamais tombée dessus auparavant, que personne n'en avait encore parlé devant moi ?

Foxton n'était pas si éloigné que ça d'Ellerton. Vingt-cinq kilomètres environ d'une route qui sinuait à travers les montagnes. À un petit carrefour, il y avait une dizaine de maisons, ainsi qu'une modeste épicerie où nul n'achetait rien. Il y avait aussi quelques cabanes surplombant le torrent, utilisées le week-end par des pêcheurs et des chasseurs, surtout des citadins.

D'accord, je pouvais me rendre à Foxton afin de vérifier. Je demanderais à l'épicerie si quelqu'un était au courant de l'existence de la baraque dans la forêt. Ça semblait un bon plan. Je suis partie.

Pas si bon que ça, le plan, en fin de compte. Quand je me suis garée devant le magasin de Foxton, j'ai découvert qu'il avait fermé. Une affichette « À vendre » était scotchée sur la vitrine. Le vent me soufflant la poussière de la route dans les yeux, je suis remontée en voiture. Je n'aurais pas été surprise de voir des boules d'herbes sèches me passer devant le nez ou d'entendre un air de guitare triste, comme dans un film de Clint Eastwood.

J'ai tourné la clef de contact, le moteur a toussé.

— Flûte !

L'aiguille de la jauge indiquait que le réservoir était vide, suite aux kilomètres supplémentaires que j'avais parcourus ces derniers jours. « Garde un jerrican dans ton coffre, une panne d'essence est toujours possible », m'aurait recommandé l'ennuyeux Jim.

— Jim a raison, Darina, ai-je grommelé. Tu aurais dû l'écouter, au moins une fois dans ta vie.

J'ai écarté d'emblée la solution qui s'imposait, celle d'appeler Laura sur mon portable. Elle serait folle de rage, et cela signifierait la fin de mes expéditions dans la ferme désaffectée. Ressortant de la voiture, j'ai réfléchi aux choix qui s'offraient à moi. Rejoindre la station-service la plus proche en stop. C'est ça. Et être prise par un dingue ? Trop dangereux. Téléphoner à un ami et le supplier de venir à mon secours. Hum... un peu trop minable à mon goût. Et puis, le gars poserait forcément des questions.

— Hé, Darina ! m'a-t-on soudain hélée.

J'ai reconnu M. Madison, qui se rangeait le long de la route, au volant de son 4 x 4 argenté. C'était le père de Summer. Il continuait de négliger son boulot d'architecte afin d'aider sa femme à tenir le choc face au chagrin engendré par la mort de leur fille. Quand il est descendu de sa voiture, je lui ai trouvé mauvaise mine, pâle, les traits tirés.

— Un problème ? a-t-il lancé.

— Panne sèche, ai-je avoué.

Il a hoché la tête d'un air entendu.

— J'ai perdu le compte du nombre de fois où j'ai dit à Summer de vérifier qu'elle avait bien un bidon dans son coffre.

— Je sais. Je suis une idiote.

— Elle non plus ne m'écoutait pas. C'est ça, les enfants, non ?

Le pauvre. Je me suis sentie coupable d'être vivante.

— Heureusement que je rôdais dans le coin, a-t-il enchaîné.

Il est allé chercher un jerrican vert à l'arrière de son véhicule. Quand il l'a débouché, une forte odeur d'essence a frappé mes narines. Il en a versé dans mon réservoir.

— Voilà qui devrait te permettre de rentrer chez toi.

— Merci.

J'ai évité de croiser son regard, me souvenant de toutes les soirées d'été que j'avais passées dans la maison de banlieue bohème, désordonnée et chaleureuse des Madison avant que Summer ne... du temps de Summer.

— De rien, a-t-il répondu avec un vague sourire. Mets le contact, qu'on vérifie si ça suffit.

J'ai obtempéré. Le moteur a aussitôt démarré. Pas de souci.

— Bien, m'a dit M. Madison en grimpant à bord de son propre véhicule. Je suis heureux de t'avoir croisée. Prends soin de toi, Darina.

Sur ce, il est parti. J'aurais pu lui révéler que j'étais en route pour rencontrer le fantôme de sa fille, qu'elle se trouvait là-haut, au bout de la piste en terre, dans une grange à l'abandon. Ainsi que Jonas, Arizona et Phœnix. Ils étaient réunis et s'appelaient les Revenants. Que lui et moi nous soyons rencontrés à ce moment-là était une sorte de signe du destin. Pourquoi ne pas m'accompagner ? Mais il avait déjà le cœur brisé, et je soupçonnais que mon offre relevait d'une folie pure nourrie par ma peine. Alors, je me suis contentée de le regarder s'éloigner.

À présent, plus rien ne s'opposait à ce que j'accomplisse mon plan. Il suffisait que je m'engage sur le chemin, que je dépasse les cahutes des pêcheurs et des chasseurs perchées sur des rochers granitiques qui dominaient la rivière tumultueuse, que je m'enfonce dans la forêt de sapins aux lourds parfums. Puis j'émergerais de l'ombre, et le chemin zigzaguerait vers le sommet et les trembles.

Ma voiture a bringuebalé sur les pierres. Les pneus mordaient les graviers et dérapaient dans les virages en épingle à cheveux. Il n'y avait pas d'habitation, pas d'autre véhicule, juste un immense ciel vespéral dans lequel la lune montait.

« Toujours rien », ai-je songé quand j'ai eu le sentiment d'avoir roulé suffisamment longtemps. Et nulle trace de grange. J'ai cherché l'endroit où je m'étais garée la veille. Je me suis résolue à parcourir encore quelques centaines de mètres, au ralenti, scrutant les environs. Tout à coup, je suis arrivée à un bosquet et j'ai distingué un sentier étroit sur ma gauche. Dans les hautes herbes, un cerf à queue noire a brusquement relevé la tête, surpris.

C'était bien là ! J'ai immédiatement reconnu la sente qui grimpait à travers une clairière naturelle avant de plonger dans un bois de trembles. Au-dessus de la crête, j'ai distingué le toit rouillé du réservoir. Quittant la voiture, je me suis engagée dans cette voie, effrayant le cerf qui a filé en bondissant. Une fois sous le couvert des arbres, j'ai eu l'impression que les feuilles qui bruissaient dans le vent étaient des millions d'ailes en train de battre.

Hors d'haleine, j'ai été obligée de m'accorder une pause avant le sommet. Puis je me suis armée de courage et j'ai poursuivi mon trajet. Bien que je sois désormais loin des arbres, les feuilles m'ont paru bruire plus fort. Quittant le sentier, j'ai coupé par les herbes jusqu'à la crête, où je me suis reposée à l'ombre du réservoir. De l'autre côté, le terrain suivait une pente déclinante jusqu'à une large combe où coulait un ruisseau.

D'abord, je n'ai pas vu la maison. J'en ai déduit que j'étais vraiment cinglée, que j'avais imaginé tout ça, que la souffrance me jouait de drôles de tours, un peu comme si mon cerveau m'avait achevée d'un bon coup de pied alors que j'avais déjà mordu la poussière. J'étais prête à renoncer lorsqu'un claquement de porte m'est parvenu, et j'ai repéré la grange en ruine.

La chamade de mon cœur s'est accélérée.

Bang ! Les feuilles frémissantes qui continuaient de m'évoquer des ailes emplissaient ma tête d'un son énorme. En titubant, j'ai entrepris de descendre en direction de la grange. J'avais à peine parcouru la moitié du chemin quand j'ai aperçu deux silhouettes qui s'activaient au milieu de la prairie, deux types qui réparaient un trou dans une vieille clôture en fil de fer barbelé. C'était un spectacle tellement banal que j'en ai oublié ma peur. Du moins, jusqu'à ce que le plus jeune des deux relève la tête, et que je le reconnaisse.

— Jonas !

Mon cri, rauque, s'était étranglé dans ma gorge. Figée sur place, j'ai contemplé son grand corps maigre. Jonas Jonson avait quitté le faubourg de Centennial au guidon de sa Harley, avec Zoey comme passagère. La route était toute droite, mais il avait eu un accident. Il avait été tué sur le coup, bien que son corps fût à peine égratigné. Zoey avait passé six semaines dans le coma et avait tout oublié de la catastrophe.

En me voyant, Jonas s'est tourné vers son compagnon plus âgé, l'homme grisonnant qu'ils nommaient Hunter, celui qui avait fermé le battant de la grange lors de ma première incursion dans les parages. Aussitôt, il a posé ses outils et foncé droit sur moi. J'avais du mal à respirer. Je me serais bien sauvée, sauf que j'ignorais où aller. Hunter continuait d'avancer, silhouette imposante aux cheveux flottants habillée d'une chemise sombre, les traits pâles et dénués d'expression. À l'arrière-plan, Jonas secouait la tête, l'air de me conseiller de déguerpir.

J'ai levé les bras en guise de reddition.

— Écoutez, ai-je lancé à Hunter, j'ignore qui vous êtes et ce qui se passe, mais n'approchez pas, compris ?

Il s'est arrêté à une dizaine de pas de moi. Ses prunelles noires étaient furibondes.

— Je suis venue voir Phœnix, me suis-je justifiée.

D'autres personnes ont émergé des saules, deux filles d'une vingtaine d'années, l'une à la toison rousse et courte, l'autre portant un enfant aux fins cheveux paille ébouriffés. Un petit mec sec les accompagnait. Tous sont allés se poster près de Jonas.

— Phœnix ! ai-je plaidé. Où est-il ?

Hunter me toisait, jambes écartées, mains plantées sur les hanches. Il n'a pas réagi à ma question. Son visage décharné et ses yeux sombres qui ne cillaient pas m'hypnotisaient. Pourquoi sa peau était-elle aussi blême ? Les gens qui, comme lui, travaillaient dans les champs étaient d'ordinaire bronzés et en pleine forme après tout un été à s'échiner sous le soleil.

Telle a été ma dernière pensée lucide avant que les battements d'ailes montent crescendo et envahissent mon crâne. Hunter me fixait, les ailes s'agitaient, pareilles à une force me repoussant vers l'endroit d'où j'étais venue. Une sensation d'étouffement m'a envahie, aussitôt suivie par une bouffée de panique. Les ailes invisibles étaient partout, m'obligeant à frapper l'air de mes poings, à lutter contre un ennemi qui n'existait pas. Essoufflée, virevoltant de tous côtés, j'ai appelé Jonas à l'aide. Hunter ne s'est pas retourné, comme s'il savait que Jonas ne broncherait pas.

— Où es-tu, Phœnix ? ai-je crié.

Il m'aimait. Il me secourrait.

Malheureusement, la magie quelconque dont usait Hunter était plus puissante que mes supplications. Il continuait de me contempler, renforçant le battement du million d'ailes, me contraignant à reculer vers le réservoir.

— Où suis-je ? ai-je haleté en m'accroupissant et en me protégeant de mes mains. Je vous en prie, dites-moi ce qui se passe !

J'étais à terre, maintenant. Soudain, une ombre menaçante a plané au-dessus de moi, un visage aux prunelles ténébreuses s'est approché. C'était une tête de mort qui apparaissait et disparaissait, instable, et semblait n'être attachée à aucun corps. Une autre a surgi, pire qu'un cauchemar, si près que mon cœur a failli s'arrêter, et que je me suis mise à hurler, hurler, hurler.

Chapitre 2

Question philosophique à destination d'un étudiant en mal de projet de recherche : qui a inventé les enterrements, et pourquoi ? Parce que, au fond, quelle est leur signification ?

Six mecs de notre classe, parmi lesquels Logan, ont porté le cercueil jusqu'à l'autel. La mère de Phœnix, Sharon Rohr, était debout à côté de Brandon, le petit frère, Zak, à sa gauche. Zak avait une cravate noire et une chemise blanche dont le col raide rebiquait. Toute l'église sanglotait – pas les Rohr.

— Ça va ? m'a chuchoté Hannah pour la centième fois.

J'ai acquiescé, les yeux fixés sur le crucifix du chœur. Je m'efforçais d'oublier le bruit des ailes et la vision des deux crânes qui plongeaient sur moi, se dissolvaient, manquant de me faire mourir de frayeur.

— Poussière, tu redeviendras poussière, a entonné le pasteur quand nous nous sommes retrouvés autour de la tombe.

Mme Rohr a jeté une unique rose rouge sur le cercueil, tandis que, derrière elle, Brandon avait un bras passé autour des épaules de Zak. Le charivari des ailes retentissait dans mes oreilles. La journée était belle, le ciel bleu, et je n'avais pas l'impression de dire adieu à Phœnix.

— Tu tiens le coup ? se sont de nouveau enquises Hannah et Jordan.

J'ai hoché la tête. Le cimetière s'adossait à une colline raide où une dizaine des amis de Brandon s'étaient réunis afin d'assister à la cérémonie. Perchés sur des rochers, habillés de jeans et de tee-shirts, ils pleuraient Phœnix à leur façon.

— Regarde ! ai-je brusquement soufflé en tendant le doigt.

Mon bien-aimé se tenait sur une vaste pierre plate et nous observait, l'air grave, une fois n'est pas coutume.

— Quoi ? Je ne vois rien.

En soupirant, Jordan a attrapé ma main tremblante et l'a abaissée. Me prenant par les épaules, Hannah m'a entraînée hors du cimetière.

Dès que possible, je me suis éclipsée de la veillée officielle. Je suis rentrée me changer, délaissant mon corsage et mon pantalon noirs pour une blouse estivale et un jean dont je savais que Phœnix les aimait bien.

Exceptionnellement, Jim était à la maison. Installé à la table de la cuisine, il discutait avec Laura.

— Tu n'es pas restée longtemps là-bas, m'a fait remarquer Laura au moment où je filais.

— Et alors ? Toi, tu ne t'es même pas déplacée.

— Quatre en un an, a-t-elle soufflé en secouant la tête. C'est quatre de trop.

— Les Madison étaient là. Les Jonson aussi.

J'ignore pourquoi, je voulais culpabiliser Laura et Jim.

— Ta mère n'est pas une amie des Rohr, a plaidé ce dernier. Ils n'ont emménagé à Ellerton que l'an dernier.

— Juste avant que tout cela ne commence, a soupiré Laura. Tu savais qu'ils ont fini par clore l'enquête sur l'accident de Jonas ? a-t-elle ajouté en poussant le journal vers moi.

J'ai déchiffré le gros titre : « Décès du premier adolescent : le motard de la mort roulait à 150 km/h » De nouveau, le bruissement des ailes a retenti. La veille, j'avais vu Jonas en chair et en os, penché sur une clôture, en train de tordre deux fils barbelés pour les réunir.

— Les Bishop étaient-ils à l'enterrement ? a demandé Jim.

Éludant la question, j'ai haussé les épaules. « S'il vous plaît, ailes, arrêtez ça. Et vous, fantômes, cessez de flanquer le bazar dans ma tête. »

— Sans doute pas, a supputé Laura. Zoey n'est sortie de l'hôpital que samedi. Ils auront tenu à la garder à la maison pour veiller sur elle.

Zoey, la passagère de Jonas, mon ancienne meilleure amie, avait subi quatre opérations depuis l'accident. Cette fois, les médecins avaient bon espoir qu'elle remarche un jour.

— Imagine un peu ce qu'ils doivent ressentir, maintenant que la vitesse a été reconnue comme la cause du drame, a claironné Jim en enfonçant des portes ouvertes, à son habitude.

Si Jonas n'avait pas roulé comme un dératé, rien ne serait arrivé à leur fille.

— Je connais les Bishop depuis des années, a renchéri Laura. Ce sont des gens si bien.

Le sous-entendu m'a fait péter un plomb.

— Ce que les Rohr ne sont pas, évidemment ? Parce qu'un des fils a un casier judiciaire, parce que personne n'avait envie qu'ils emménagent ici, surtout après avoir découvert que Brandon avait purgé une peine de prison.

— Ta mère n'a jamais dit ça, l'a défendue Jim.

Ramassant le journal, il l'a replié et rangé dans le porte-revues.

— Ce n'était pas la peine, ai-je contre-attaqué. Si elle n'a jamais osé admettre qu'elle ne voulait pas que je fréquente Phœnix, son attitude était assez claire. Elle est sûrement ravie qu'il soit mort, d'ailleurs.

— Darina ! a protesté Laura en se levant, outrée. C'est faux. Je ne souhaiterais cela à personne. Je suis désolée pour toi...

— Nous pensons juste que tu devrais te ressaisir, s'est interposé mon beau-père.

Grave erreur. S'il ne s'en était pas mêlé, Laura et moi aurions sans doute réussi à calmer le jeu.

— Style, arrête de faire ta mijaurée ? ai-je braillé. Rappelle-toi que tu n'es sortie avec ce garçon que deux mois ? Oublie-le ?

— Non, Darina, a objecté ma mère en tentant de s'approcher de moi.

— Tu interprètes nos paroles, s'est plaint Jim.

Exaspérée, j'ai secoué la tête. À quoi bon ?

— Je me tire, ai-je annoncé.

Lorsque je me suis dirigée vers Deer Creek, le soleil était haut dans le ciel et rôtissait les rochers de granit rose de chaque côté de la route étroite. Un milan royal planait sur un courant d'air chaud à une altitude incroyable.

Musique pour un cher disparu. Je l'ai perçue à un demi-kilomètre de distance, qui rebondissait sur les falaises bordant l'eau courante de la rivière. Bruyante, métallique, ponctuée par des basses sourdes. Ce qu'aimait Brandon, pas Phœnix. J'ai failli rebrousser chemin. Mais de nouvelles voitures arrivaient derrière moi. Des ados faisaient rugir leur moteur, passaient la tête par la fenêtre et beuglaient :

— La fête nous attend ! Bouge-toi, Darina !

— Phœnix aurait adoré ça.

Des filles de terminale étaient assises sur la rive quand je suis descendue de voiture. Leurs vêtements et leurs cheveux dégoulinaient, à croire qu'elles s'étaient baignées tout habillées.

— Il n'aurait pas voulu de noir ni de chagrin, a renchéri quelqu'un. Il aurait préféré qu'on s'amuse.

Qu'en savaient-ils ? Lui avaient-ils seulement adressé la parole un jour ? Dépassant le groupe, je suis allée saluer Brandon.

— Tu es venue, a-t-il marmotté, à moitié surpris.

Il s'était débarrassé de la veste qu'il avait achetée chez Laura pour l'enterrement et avait desserré sa cravate. Ses yeux étaient lourds, comme s'il n'avait pas dormi de la semaine. J'ai hoché la tête.

— Ceci est irréel, ai-je commenté en jetant un coup d'œil à ceux qui dansaient en plein air.

Tout le monde se comportait comme d'ordinaire – les mecs restaient en retrait et se la jouaient cool, les filles minaudaient, aguicheuses. Était-ce bien ? J'étais trop désorientée pour avoir un avis.

— C'est la bonne façon de dire au revoir, a répliqué Brandon.

Plongeant la main dans une grande glacière, il en a tiré une cannette qu'il m'a tendue.

— Santé, a-t-il grommelé avant de s'éloigner pour discuter avec un des gars qui étaient arrivés juste après moi.

Je me suis installée sur un rocher qui surplombait la rivière. La musique résonnait dans mon crâne. J'ai contemplé l'eau claire. Une dizaine de minutes peut-être s'est écoulée, puis Brandon m'a rejointe et s'est juché sur la pierre voisine.

— Alors, Darina ?

— Quoi ?

— Comment vas-tu ?

— Pas bien. Ta mère ?

— Pas fort non plus, a-t-il avoué, le regard fixé sur la surface de l'eau. Il lui faudra un moment. Elle a envoyé un mail à papa pour l'avertir. Il n'a pas répondu.

— Où vit-il ?

Phœnix m'avait appris que ses parents avaient divorcé juste après la naissance de Zak et qu'ils n'étaient plus en contact depuis.

— Quelque part en Europe. L'Allemagne, je crois. Il a peut-être changé d'adresse. De toute manière, maman n'a pas cru un instant qu'il viendrait à l'enterrement.

— C'est triste.

— Rien de nouveau sous le soleil.

Se levant, Brandon a jeté sa cannette vide dans une poubelle.

— Tu as dansé ? a-t-il ensuite changé de sujet.

J'ai secoué la tête.

— Tu t'es baignée ?

Il était évident qu'il ne tenait pas à ce que j'affiche ma morosité, au risque de gâcher la fête.

— Je pourrais, ai-je concédé.

La perspective de sauter dans l'eau froide et profonde pour m'y oublier m'a soudain séduite. Me mettant debout, j'ai vacillé jusqu'au bord du rocher avant de me jeter en avant.

J'ai été saisie. Tandis que je coulais jusqu'au fond, j'ai senti le courant qui tourbillonnait autour de moi. J'ai ouvert les yeux sur un monde aquatique d'algues et de galets lisses. Pendant quelques secondes, je me suis laissée porter, rouler et flotter, en apesanteur. Puis, d'un coup de pied, je suis remontée à la surface. J'ai émergé en haletant. Alors que je prenais une longue goulée d'air, je me suis rendu compte que j'étais rapidement entraînée vers l'aval et que je n'avais pas réfléchi à une stratégie pour quitter le torrent.

— Nage, Darina ! a crié Jordan depuis la berge. Nage, nom d'un chien !

Elle était en compagnie de Logan et d'Hannah, sous un bouquet d'arbres. Je les ai entraperçus malgré le courant qui me précipitait entre des écueils acérés. Battant des pieds, j'ai réussi à rester à hauteur des filles, pendant que Logan se débarrassait de ses chaussures. Brandon l'a devancé. Il a sauté de pierre en pierre le long de la rive puis a plongé, en aval de l'endroit où je me trouvais. Mes forces s'épuisaient. J'ai glissé vers lui, buvant la tasse à plusieurs reprises. Le courant me projetait en direction d'un énorme rocher qui séparait la rivière en deux. Soudain, j'ai coulé.

Je cessais de lutter quand le bras de Brandon s'est enroulé autour de ma taille. Il m'a hissée à la surface puis a nagé droit sur l'obstacle. Il m'a poussée dessus avant d'y grimper derrière moi.

Nous nous sommes retrouvés échoués au milieu du torrent, moi sauvée d'une noyade presque certaine, accroupis sur notre perchoir, tels deux pygmées dans la paume d'un géant.

Je n'ai accepté de voir un psy que pour faire taire Laura.

C'était deux jours après l'enterrement de Phœnix, et je n'arrivais toujours pas à dormir. Je ne mangeais pas non plus, et ma mère s'était persuadé que l'incident de Deer Creek avait représenté un secret appel au secours.

— Pourquoi le lui as-tu raconté ? ai-je reproché à Logan.

Il était passé chez moi le lendemain, j'avais refusé de lui parler. Du coup, il avait discuté avec Laura et Jim, qui lui avaient tiré les vers du nez – mon plongeon, le fort courant, Brandon le héros. Puis le reste de la bande qui avait déniché une corde dans un pick-up et nous l'avait lancée.

— Ne vous y trompez pas, avait précisé Logan à mes parents, je n'apprécie pas ce type, mais il a réellement sauvé Laura. Et c'est lui qui a eu l'idée de la corde. C'est comme ça que ses potes les ont ramenés sur la berge.

— Omondieu ! avait chuchoté Laura à Jim ce soir-là dans leur chambre. Elle est suicidaire.

J'avais tout entendu, à travers les cloisons épaisses comme du papier.

— Oui, avait-il acquiescé. C'est pire que je ne l'imaginais.

Le matin suivant, ils m'avaient pris rendez-vous avec la psy du coin. Elle s'appelait Kim Reiss. Je m'y suis rendue en traînant des pieds, pour quatorze heures trente, sachant déjà que j'allais la détester.

— Bonjour, Darina, assieds-toi, a-t-elle commencé.

Pas de divan, pas de grand bureau, pas de calepin. La pièce était claire et banale. La psy affichait un sourire serein, elle avait les pommettes saillantes et une jolie coupe de cheveux. Une cicatrice de trois centimètres courait sur l'une de ses joues, ce qui m'a intriguée.

— Si tu veux bien, a-t-elle enchaîné, je vais t'exposer ma méthode de travail. À toi de juger si elle te convient ou pas.

Je me suis installée et j'ai fixé la fenêtre en faisant celle que ça n'intéressait pas. Toute mon attitude le clamait : j'étais ici contrainte et forcée.

— Je pratique ce que nous appelons la thérapie cognitive, a expliqué Kim. Il ne s'agit pas d'une analyse en profondeur, nous nous concentrons seulement sur ce qui te trouble en ce moment, dans l'instant présent, et nous tentons d'élaborer des stratégies qui te permettent de le gérer. C'est très simple, crois-moi.

Je lui ai jeté un coup d'œil.

— Mon copain a été tué, ai-je platement répliqué.

Puis, de nouveau, je me suis concentrée sur la fenêtre avant qu'elle ait pu croiser mon regard. « Tiens, ronge cet os ! » disait mon attitude. Elle n'a pas réagi, se contentant de patienter.

— Il a été poignardé, mais je continue de le voir, ai-je fini par enchaîner.

— Comment s'appelait-il ?

— Phœnix Rohr. Il a été mêlé à une bagarre. Je l'attendais près de Deer Creek, il n'est jamais venu au rendez-vous.

Pourquoi est-ce que je jacassais comme ça, moi ? J'avais accepté de venir ici parce que Laura avait déjà payé la séance, point final.

— Il y avait du sang par terre. Il ne m'a pas téléphoné.

Kim m'observait en silence.

— Et gardez vos condoléances pour vous. Je suis désolée. *Vous* êtes désolée. Tout le monde l'est, désolé.

— Pourtant, tu le vois ?

Sa deuxième question seulement. En plein dans le mille.

— Vous croyez que c'est dans mes rêves, hein ? Les gens rêvent de ceux qu'ils ont perdus, je le sais.

— Et ce n'est pas ton cas ?

— Non. Je suis parfaitement éveillée. Aussi éveillée que je le suis en ce moment. Je les vois tous. Jonas, Arizona, Summer et Phœnix. Ils sont vivants et beaux. Rien de comparable à des cadavres.

— Des fantômes, plutôt ?

— Non, ils ont plus de consistance, plus de réalité. Ils sourient et parlent. L'horrible Hunter est leur chef. Ils se surnomment les *Beautiful Dead* ou défunts magnifiques.

Kim n'a pas sursauté. Elle ne semblait pas me prendre pour une cinglée.

— Tu aimais Phœnix ? a-t-elle demandé doucement.

— J'en étais folle. Vous n'imaginez même pas.

Il lisait dans mon cœur, moi dans le sien. Nous avions baissé la garde dès le premier baiser. Nous étions entièrement ouverts l'un à l'autre.

— Tu te sens perdue, sans lui ?

J'ai hoché la tête, cependant que les larmes se mettaient à dégouliner.

— Les mots sont impuissants à exprimer le chagrin, a admis Kim. Le vocabulaire nous manque pour donner une idée de son ampleur. Ce que tu vis, voir Phœnix dans des endroits familiers, n'est pas rare.

— Et dans des endroits où nous ne sommes jamais allés ?

Une allusion à la grange de Foxton, bien sûr, même si je n'étais pas prête à révéler ce détail.

— Également. Phœnix occupe toutes tes pensées, actuellement. Il peut surgir n'importe où.

— Avec l'apparence de la réalité ? ai-je insisté.

Si ça se trouve, c'était ça, l'explication. J'avais des hallucinations sans arrêt parce que le chagrin m'accablait. Pas tout à fait folle, mais submergée par la souffrance.

— Rien n'est facile, avec les traumatismes. Il n'est pas malsain que tu te souviennes de Phœnix avec une telle netteté aussi tôt après son décès.

Elle ne me déplaisait pas trop, en fin de compte. Elle ne m'interrogeait pas sur mes relations avec Laura, elle ne se mêlait pas de ce qui ne la regardait pas.

— Merci.

Le silence s'est installé. Qu'en était-il de Jonas, d'Arizona et de Summer ? ai-je songé. J'aurais bien aimé poser la question. Qu'en était-il des battements d'ailes qui résonnaient dans ma tête, des crânes et de Hunter dont le regard aurait pu me tuer ?

— Je te suggère de ne pas t'inquiéter pour ces visions, a repris Kim. Entre-temps, nous évoquerons en détail la manière dont tu devrais prendre soin de toi.

Pas de pression. Je lui en ai été reconnaissante. Après une profonde respiration, j'ai séché mes larmes. Puis nous avons longuement discuté de ce qu'il convenait que je fasse pour retrouver l'appétit et le sommeil. À la fin, nous sommes convenues d'un nouveau rendez-vous, la semaine suivante.

— Ne sois pas trop dure avec toi, Darina, m'a conseillé Kim alors que je me levais. N'oublie pas que tu es humaine.

— C'est-à-dire ?

— Accepte de partager. Attends-toi à craquer et à appeler au secours. Beaucoup de gens sont prêts à t'aider.

J'ai réfléchi avant d'acquiescer.

— Bien. À jeudi prochain. Seize heures trente.

Dans la salle d'attente, j'ai failli ne pas voir Zoey sur sa chaise roulante.

— Qu'est-ce que tu fiches ici ? ai-je lancé quand je l'ai eu reconnue.

Je n'avais pas eu l'intention d'être aussi brutale.

— Je te retourne la question, a-t-elle riposté. Serais-tu en train de devenir dingo comme tous les autres ?

Je n'avais pas croisé Zoey depuis presque un an. Elle semblait avoir beaucoup changé. Elle avait maigri, et ses cheveux teints en blond avaient retrouvé leur couleur châtain naturelle. Sans parler du fauteuil, bien sûr. Ni de ses yeux sombres et comme hantés.

— Non, je m'en sors, ai-je menti. Et toi ?

Elle a haussé les épaules.

— Ils ont vissé des plaques d'acier dans mes jambes. Ils ont aussi soudé ma colonne vertébrale en deux endroits pour que je puisse tenir debout. Ça va.

C'était tellement horrible que nous avons échangé un sourire.

— Zoey, je suis dés...

— Tais-toi !

— D'accord.

Il y a eu un long silence, puis nous avons repris la parole en même temps.

— Je t'ai rendu visite, ai-je dit.

— Je suis au courant, pour Phœnix, a-t-elle dit.

— Souvent, ai-je poursuivi sans relever. Après l'accident. À l'hôpital. Je m'asseyais à côté de toi, qui étais dans le coma.

— Je l'ignorais, a-t-elle répondu en fronçant les sourcils. Ils ne m'en ont pas parlé.

— Ensuite, quand tu t'es réveillée, ton père m'a interdit de venir. D'après lui, tu allais trop mal.

— Écoute, je ne me rappelle plus rien. Absolument rien.

Ça m'a sciée.

— Mais moi ? ai-je protesté. Tu ne m'as pas oubliée, hein ?

— Bien sûr que non, Darina. Je me souviens d'avant et de ce qui a suivi. En revanche, pour l'accident, c'est le trou noir. D'où ma présence ici. SSPT.

Syndrome de stress post-traumatique. Un trouble dont souffraient les soldats affectés dans les zones de guerre. Un joli euphémisme pour désigner des pulsions folles et violentes qui vous envahissent le crâne.

— Reviendras-tu me voir ? m'a demandé Zoey sur un ton suppliant.

— Si tes parents acceptent, oui.

— Ignore-les. Viens.

Appuyant sur un bouton, elle a dirigé son fauteuil vers la porte de Kim.

— Tu me raconteras ce qui s'est passé, Darina. Tu m'aideras à me souvenir.

Cette nuit-là, j'ai fait le même rêve/cauchemar/vision – appelez-ça comme vous voulez. J'étais profondément endormie, je luttais pour rester à Foxton, mais les têtes de mort se précipitaient sur moi, ossements blancs percés d'orbites noires qui tourbillonnaient tout près de moi. Je me suis réveillée en tremblant. Assise dans l'obscurité, j'ai écouté le fracas des battements d'ailes.

Tôt le lendemain matin, je suis retournée là-bas, dans un état proche de celui d'une possédée. Penchée sur le volant que j'agrippais, j'appuyais sur le champignon, regrettant que ma vieille guimbarde ne soit pas plus rapide. Les pneus crissaient dans les virages un peu secs et, quand je me suis engagée dans le chemin latéral, j'ai expédié une gerbe de terre sur la chaussée.

J'ai abandonné ma voiture près des trembles et j'ai couru dans les hautes herbes jusqu'au sommet de la colline. Le grand réservoir et la pente qui descendait vers la maison et la grange étaient toujours là. Le camion continuait de rouiller près de la baraque. La porte de la grange s'est fermée en claquant.

« N'approche pas ! » m'ont crié les ailes, semblables à une vaste bande d'oiseaux qui se seraient envolés vers le ciel. Ayant dépassé le stade de la folie, je les ai ignorées et me suis ruée en bas du coteau, délaissant la clôture récemment réparée. Je m'attendais à ce que Hunter surgisse de la ferme, à ce qu'il me toise avec fureur, à ce qu'il envoie des têtes de mort à ma rencontre, à ce qu'il essaie de me faire mourir de peur. À moins qu'il ne soit dans la grange avec les autres, la femme à l'enfant, le jeune type et mes camarades du lycée d'Ellerton.

Sauf que personne ne s'est interposé. J'ai ralenti en arrivant près de la maison. Cette dernière semblait déserte, ses vitres étaient sales, la peinture s'écaillait sur les encadrements des fenêtres. La porte vert pâle était fermée. Je m'en suis lentement approchée et j'ai tourné la poignée. Elle était verrouillée. « Éloigne-toi ! Va-t'en ! »

À travers un carreau, j'ai distingué une vieille cuisinière et une table nue. Des assiettes à motifs vert et blanc étaient alignées dans un vaisselier. Une bouilloire en fer était posée sur une des plaques du poêle. Il aurait suffi de franchir le seuil pour remonter cent ans auparavant. La couche de poussière avait un siècle, la cheminée n'avait pas servi depuis des générations.

Tournant les talons, j'ai traversé la cour et gagné l'arrière de la grange. Sur le côté de celle-ci, il y avait une ancienne barre où attacher les chevaux, cernée par des plantes jaunies ; plus loin, une rangée de ronces et de yuccas hérissés donnait sur une petite prairie où poussaient de longues herbes argentées. J'ai marqué une pause, me demandant pour la énième fois pourquoi j'étais revenue et si je devais continuer.

Et d'une, je n'étais pas du tout en train de prendre soin de moi, contrairement à ce que m'avait recommandé Kim, ma psy. J'étais seule, je n'avais prévenu personne de mon périple, j'étais en proie à un cauchemar que je ne partageais pas. Je n'avais aucune confiance en quiconque, à commencer par moi.

Et de deux, il se pouvait que je sois vraiment dérangée. Certains aspects de ce que je vivais étaient peut-être des faits, d'autres non. Ainsi, apercevoir Phœnix partout – au lycée, à son enterrement – relevait sans doute du stress post-traumatique. Si ça se trouve, Hunter était réel, un reclus qui possédait cet endroit délabré et détestait les intrus. Auquel cas, il avait tous les droits de me chasser de sa propriété.

Sauf qu'il n'y avait pas que Phœnix. J'avais aussi croisé Summer, Arizona et Jonas, à ma première visite ici, avant que Hunter ne me repère, et que je ne m'enfuie. Et, lors de ma deuxième incursion, j'avais revu Jonas.

Certes, ces gens avaient de l'importance à mes yeux. Surtout Summer. Elle avait compté plus que les autres, pas seulement pour moi mais pour tous ceux qui l'avaient connue. N'empêche, pour quelle raison mes anciens camarades me hantaient-ils maintenant, alors que j'étais déjà submergée par le chagrin d'avoir perdu Phœnix ? Pourquoi cela ne s'était-il pas produit plus tôt, au moment de leur disparition ?

Je les avais entendus parler. J'avais remarqué la stupeur de Phœnix lorsqu'ils l'avaient accueilli au sein de leur groupe, échappé de sa tombe afin d'entrer dans le monde des *Beautiful Dead*. Hunter s'était débrouillé pour qu'il revienne, avait expliqué Summer. Hunter était le chef.

C'était arrivé pour de bon. J'avais vu Phœnix dans cette grange, entouré par des lycéens dont je savais qu'ils étaient morts.

Cessant de tergiverser, je me suis enfoncée dans les buissons jusqu'à ce que je déniche un passage étroit donnant dans la grange, sûrement le meilleur moyen de lâcher autrefois les chevaux dans le pré de derrière. Le battant était suspendu à des gonds branlants qui ont grincé quand j'en ai ouvert la partie supérieure pour grimper à l'intérieur.

Comme précédemment, les lieux étaient sombres et sentaient le moisi. Des bottes de paille s'étaient répandues sur le sol en terre battue, un nid d'hirondelles aujourd'hui déserté occupait un coin de l'avant-toit. La grande porte d'entrée a claqué.

— Il n'y a personne, ai-je marmonné, un peu déçue.

Les toiles d'araignée étaient intactes, le silence complet. J'avais tout inventé. L'espace d'une seconde, j'en ai été soulagée. Libérée, en quelque sorte.

Puis le battant s'est rouvert, et j'ai distingué l'éclat d'un objet métallique par terre. D'abord, j'ai cru qu'il s'agissait d'un élément ayant autrefois appartenu à l'un des harnachements accrochés à des patères voisines. Cependant, le reflet paraissait trop étincelant, trop neuf. Je suis allée ramasser la chose. En la tournant entre mes doigts, j'ai reconnu une boucle de ceinturon en acier frappée au logo Harley. J'en ai examiné le crâne et sa devise : « Toujours fidèle à l'esprit ». Mon pouls s'est accéléré.

— Jonas ! ai-je murmuré.

J'aurais parié sur ma vie qu'il ne s'agissait pas d'une coïncidence, et que cette boucle lui appartenait. À cet instant, les battements d'ailes ont de nouveau résonné. J'ai deviné une présence dehors. Serrant les doigts sur ma trouvaille, j'ai tourné les talons et me suis enfuie. J'ai tenté de bouger le verrou du battant inférieur de l'accès au pré, mais il était rouillé. J'allais être obligée de sortir comme j'étais entrée, en l'escaladant. Quelqu'un pénétrait dans la grange, sûrement Hunter, à l'affût des intrus. Cédant à la panique, maladroite, j'ai perdu l'équilibre et suis retombée en arrière sur des ballots de paille.

Bruits de pas. Une main s'est emparée de la mienne pour m'aider à me relever. Une poigne de fer.

Levant la tête, j'ai croisé le regard de celui que j'aimais.

— Assieds-toi ici, m'a tendrement ordonné Phœnix.

Nous nous sommes installés en tailleur sur le sol, au milieu du fourrage. Agrippée à ses mains, je fixais ses magnifiques prunelles bleu-gris. Il était si beau. De sa peau lisse et claire à son grand front surmonté par des cheveux bruns épais, de la clarté de ses yeux à sa bouche souriante. Quant à son corps... Je connaissais la carrure de ses épaules et l'arrondi de son torse comme s'ils avaient été miens.

— Tu ne m'as pas rejointe à Deer Creek.

Tels ont été mes premiers mots, inutiles. De son pouce, il a caressé ma joue, un geste dont je ne me lassais pas.

— Je suis désolé, Darina, a-t-il ensuite soupiré.

— Tu me manques tellement. J'ai si mal. C'est brutal, violent. Comme un couteau qu'on aurait plongé dans mon cœur.

— Je donnerais n'importe quoi pour que ce ne soit pas arrivé, a-t-il chuchoté en se penchant pour m'embrasser. Te voir ainsi souffrir m'est intolérable.

Je lui ai rendu son baiser, je me suis abreuvée à sa bouche.

— Où es-tu ? l'ai-je enfin supplié. Que se passe-t-il ?

Il a continué à s'excuser et à déposer de légers bécots sur mes lèvres, mon visage, mon cou. J'ai caressé ses cheveux, laissé mes doigts s'attarder sur sa nuque.

— Dis-moi, ai-je insisté.

J'avais l'impression d'avoir basculé par-dessus un rebord invisible, de tomber dans le vide, quand bien même je sentais la terre ferme sous moi.

— Je n'ai pas le droit, a-t-il répondu. Les règles l'interdisent. D'ailleurs, je ne devrais pas être ici en train de discuter avec toi.

— Les règles établies par qui ?

Je voulais comprendre à tout prix, pouvoir le toucher encore, lui parler encore. Maintenant que je l'avais retrouvé, il était hors de question que je le perde de nouveau.

— Par Hunter, a-t-il lâché, les sourcils froncés, avant de jeter un coup d'œil par-dessus son épaule. Il s'occupe de nous. Nous n'avons pas de marge de manœuvre. C'est lui qui nous ordonne d'agir de telle ou telle façon.

Longtemps, je l'ai observé sans piper mot. Puis je l'ai remercié d'avoir enfreint la loi du silence. Il s'est détendu, m'a gratifiée d'un grand sourire.

— C'est ce qui me plaît chez nous deux, Darina. Nous n'avons jamais été très disciplinés, hein ?

— En effet.

— J'aime ça, en toi. Avec tes yeux. T'ai-je déjà dit qu'y plonger était comme nager dans du chocolat ? Je m'y noierais que je mourrais heureux.

— Tu n'es pas drôle ! ai-je protesté.

J'étais perdue. Le garçon avec lequel je m'entretenais était-il vivant ou mort ?

— Que t'est-il arrivé ? ai-je enchaîné. Peux-tu me raconter ?

— Non. Je me souviens juste d'avoir été pris dans une bataille rangée. Pour quelle raison ? Je n'en ai pas la moindre idée. Je sais seulement que Brandon était impliqué, et que je devais l'aider. J'ignore comment on m'a poignardé.

Serrant ses mains, je l'ai obligé à me regarder en face.

— Est-ce pour cela que tu es ici ? Afin de découvrir ce qui s'est produit ?

— Oui, j'ai été choisi.

Derrière son calme apparent, la douleur était palpable, et un éclair effrayé a traversé ses prunelles. De mon côté, j'étais en proie à un étonnant mélange d'émotions.

— Es-tu vraiment mort ? ai-je soufflé.

« Accroche-toi à lui. Retiens-le. »

Quand il a hoché la tête, une boucle de cheveux bruns a glissé sur son front.

— Les limbes, ça te parle ? C'est l'endroit où se rassemblent les âmes mortes, une salle d'attente, en quelque sorte. J'y étais depuis un moment lorsque j'ai été renvoyé ici. Tout comme Jonas et les deux filles. Crois-moi, ça fait hyper mal.

— C'est très bizarre ! me suis-je exclamée. Je t'entends, je te touche, alors que tu affirmes ne plus être en vie. Pourtant, tu n'es pas mort non plus...

— Je suis quelque chose entre les deux. Jonas, Arizona, Summer et moi, nous avons tous les quatre des affaires à régler. Des choses à éclaircir. Voilà pourquoi nous sommes ici avec Hunter.

— Vous n'êtes pas des fantômes, alors ?

Il était trop réel, trop chair et sang, bien qu'il soit plus pâle qu'autrefois, et ses yeux plus translucides, comme s'ils étaient capables de voir à des kilomètres à la ronde.

— Nous sommes plus consistants qu'eux, a-t-il acquiescé.

Se levant brusquement, il m'a remise debout avant de m'étreindre. J'étais si bien entre ses bras que j'en ai eu le vertige. J'aurais voulu ne plus bouger.

— Je suis vraiment ici, Darina, a-t-il poursuivi.

Soudain, aussi vivement qu'il s'était redressé, il m'a lâchée et a entrepris de retirer son tee-shirt noir.

— Qu'est-ce que tu fabriques ?

Le spectacle de son torse nu m'a coupé le souffle. Il était beau comme celui des types des pubs télé, sauf que le sien était tout près, personnel, tangible. Phœnix s'est retourné.

— Regarde entre mes omoplates, m'a-t-il dit. Que distingues-tu ?

Étouffant un cri, j'ai soulevé la main pour effleurer sa merveilleuse peau blanche. Un petit tatouage noir à gauche de son épine dorsale, mesurant à peine la taille d'un bouton de col, représentait deux ailes d'ange.

— C'est nouveau, ça.

— C'est là que s'est enfoncée la lame. Nous portons le sceau de notre mort, tous. Arizona, Summer, Jonas, même Hunter.

— Que signifie-t-il ?

Le dessin était délicat, parfait à sa manière. J'y ai fait courir mes doigts.

— Il symbolise ce que nous sommes devenus, a expliqué Phœnix de la voix grave dont je raffolais.

Tout à coup, la porte s'est ouverte, et un flot de lumière a envahi la grange.

— Je suis un mort vivant, Darina. Un revenant, un zombie. Je suis ici pour réclamer justice et te réconforter.

Chapitre 3

Donc, je n'étais pas folle à lier. Écoutant ce que me dictait mon cœur, j'avais retrouvé mon aimé. Je le touchais et l'embrassais, rien d'autre n'avait d'importance.

— Tu as conscience de courir un danger ? a murmuré Phœnix.

Il me contemplait comme si c'était lui qui n'en revenait pas. Un bras glissé autour de ma taille, il s'était écarté pour mieux me regarder.

— Nous sommes tenus au secret, a-t-il continué. Moi, Jonas, les filles.

— Laisse-moi deviner. Hunter vous a obligés à prêter serment ?

— Oui. Tu appartiens à l'autre versant, Darina. Au monde des vivants. Nous ne pouvons t'autoriser à nous rejoindre.

— D'où les battements d'ailes et les têtes de mort ?

Je lui ai raconté combien j'avais eu peur de revenir à la grange.

— Mais je t'aime tellement, Phœnix, que j'aurais couru tous les risques pour te revoir.

— En effet, a-t-il chuchoté en resserrant son étreinte, ses lèvres douces plaquées contre ma joue. Tu es la seule à avoir été suffisamment déterminée et courageuse pour persister. Mais quel effet cela te fait-il de savoir que je suis un zombie ? Tu n'as pas envie de prendre tes jambes à ton cou ?

Je lui ai tiré les cheveux.

— Arrête de parler de partir ! Je suis ici et je n'en bougerai pas.

Rien au monde n'aurait en effet réussi à m'arracher à Phœnix. Il a souri et, l'espace d'un instant, il est redevenu le type cool et marrant qu'il avait été.

— Écoute, il ne s'agit pas de se venger pour de bon ni de se faire justice. D'après Jonas, et il est ici depuis plus longtemps que moi, j'ai reçu des pouvoirs.

— Comme ?

— Et d'une, je peux t'hypnotiser.

Reculant, il a pointé son index vers moi comme s'il me tenait en ligne de mire – *pan !*

— Pourquoi ferais-tu un truc pareil ? ai-je crié en attrapant son poignet. Un seul regard de toi, et je te suivrais au bout du monde !

— OK, oublie, a-t-il acquiescé en se libérant, une étincelle dans l'œil montrant à quel point il s'amusait à mes dépens. Je suis capable de me volatiliser à volonté. Que dis-tu de ça ?

Je me suis accrochée à lui en nouant mes bras autour de son torse.

— T'as pas intérêt !

— D'autres trucs, alors. Influencer les esprits. Voyager dans le temps.

— Wouah, Superman !

Tout cela me passant largement au-dessus de la tête, je feignais de ne pas être impressionnée. Mon cœur était trop plein de surprise et de joie pour ça, sa présence m'ensorcelait.

— Tu n'as pas peur ? s'est-il exclamé. Je te signale que tu traînes avec un mort vivant !

Il m'a gratifiée d'une moue, commissures des lèvres avachies, toujours moqueur, son pouce continuant de caresser ma joue. Soudain, il s'est écarté de moi, a levé ses bras devant lui et a titubé, les jambes raides, dans la grange, tel un zombie sortant de sa tombe. J'en ai profité pour reluquer sa taille bien prise, la courbe de ses reins, le minuscule tatouage ailé et la masse musclée de ses larges épaules.

— Je sais, je sais, ai-je soupiré. J'ai vu les films. Où est le cimetière ? Où sont les corps en décomposition et les redoutables mangeurs d'hommes ?

Il a cessé de faire le zouave.

— Juste un service de communication déplorable jouant sur l'horreur. Rien de tout cela n'est vrai. En revanche, le cinéma a raison sur un point : nous nous déplaçons en bande, et Hunter édicte le règlement. Pas de libre arbitre, c'est lui qui détient le pouvoir.

— J'avais pigé. Je me suis aussi rendu compte qu'il se fâchera quand il découvrira que je suis ici.

— Il est déjà au courant, crois-moi. Ses sens, surtout son ouïe, sont très aiguisés. Il entend une feuille d'arbre tomber près du réservoir.

— La vache ! Ça fiche la frousse.

J'étais sérieuse. Phœnix a opiné.

— Il est impossible qu'il n'ait pas perçu ton arrivée.

— Pourquoi ne m'a-t-il pas arrêtée, dans ce cas ?

— Il a ses raisons. Il veut peut-être me tester, vérifier que j'obéis aux ordres.

Phœnix a haussé les épaules.

— Ce que tu n'as pas fait, lui ai-je rappelé, soudain inquiète pour lui. Il a mis au point une sorte de punition pour ceux qui enfreignent la loi du silence ?

Nouvel haussement d'épaules. Moins désinvolte que le premier, cependant.

— Notre présence ici est considérée comme une grosse faveur. Tout un tas d'âmes mortes souhaitent revenir, mais les élus sont rares. En général, ce sont ceux sur lesquels plane un mystère. J'imagine que beaucoup auraient d'excellentes raisons d'être à ma place. Hunter pourrait fort bien me jeter et ramener quelqu'un d'autre des limbes.

Les yeux fermés, je me suis figée, envahie par une brusque vague de terreur.

— Tu ne devrais pas être ici en train de me parler, Phœnix. Si tu t'en vas, si tu t'abstiens de jamais me revoir, Hunter ne te punira sans doute pas. Je ne rigole pas. Va-t'en !

Je l'ai repoussé en direction de la porte principale de la grange. Se retournant, il a immobilisé mes poignets.

— Pour qui me prends-tu ? a-t-il protesté, les prunelles assombries par la colère. Pour quelqu'un qui t'abandonnerait ? Regarde-moi, Darina. C'est moi, Phœnix ! N'ai-je pas toujours été sincère avec toi ? Regarde-moi et lis ce qu'il y a dans mon cœur !

Je n'y ai distingué qu'un amour flamboyant dont les flammes nous engloutissaient, en face desquelles j'étais impuissante.

— OK, ai-je soufflé, je suis avec toi sur ce coup-là. Quel que soit le châtiment inventé par Hunter, il devra nous l'infliger à tous deux.

— Comme c'est émouvant ! a raillé une voix d'homme. Même *mon* cœur frémirait, si j'en avais un.

Hunter a surgi dans la grange, accompagné de Jonas et d'Arizona. Il était clair qu'il nous avait espionnés depuis le début. Phœnix a serré les mâchoires, m'a enlacée d'un geste protecteur, puis s'est tourné pour l'affronter.

— Tu n'y touches pas, l'a-t-il prévenu. Elle n'a rien fait de mal.

Hunter a avancé jusqu'aux ombres épaisses du fond de la salle. Ses bras étaient croisés sur sa vaste poitrine, ses cheveux gris étaient noués sur sa nuque.

— Darina n'a pas écouté mes avertissements, a-t-il riposté. Dommage !

— Je n'ai pas peur de vous, ai-je lancé.

C'était un mensonge, Hunter le savait et il m'a adressé un sourire froid et cruel.

— Il n'est pas question que je renonce à Phœnix, ai-je cependant persisté.

— Je ne te laisserai pas le choix, a répliqué le sale type.

Il s'est approché de moi, suffisamment pour que j'aperçoive le tatouage en ailes d'ange sur sa tempe. La couleur en avait passé, en comparaison avec celui de Phœnix. Sa mort remontait à très longtemps, sans doute.

— Vous ne me commandez pas, moi, ai-je persisté, encouragée par la proximité de mon bien-aimé. Je n'appartiens pas à votre petite bande.

Visiblement, mes mots n'ont pas eu l'heur de plaire à Hunter. Il a froncé les sourcils et m'a fusillée du regard.

— Ferme-la un peu, mademoiselle Grande Gueule, s'est-il fâché. Il y a un truc qui t'a échappé quand Phœnix t'a dit que nous étions capables de squatter ton esprit et de t'hypnotiser ? Tiens-toi à carreau, Darina : je suis en mesure de te vider le cerveau comme une instit' efface un tableau à l'école.

— C'est vrai ? ai-je hoqueté en me tournant vers Phœnix.

— Oui, a-t-il acquiescé. C'est comme ça qu'il s'y prend pour que personne ne découvre notre présence dans les parages.

Jonas s'est glissé entre nous deux afin de poursuivre les explications.

— Darina, a-t-il dit avec sérieux, les Revenants ont besoin du secret le plus absolu. Voilà presque un an que nous sommes ici. Nous nous cachons en influençant les esprits, en effaçant les mémoires, en hypnotisant.

— Et comment vous y prenez-vous exactement ? ai-je demandé.

Maintenant j'étais éloignée de Phœnix, je me sentais seule et plus effrayée que jamais. Mes yeux ont papillonné entre Jonas et Arizona.

— Facile, a répondu cette dernière avec un geste brusque (un tic que je lui avais toujours connu quand elle vivait, un peu comme si elle balayait un insecte du revers de la main). Peu de gens de l'autre versant s'aventurent par ici, nous sommes trop loin de la route. Seuls les chasseurs franchissent la crête. Ou des ados chahuteurs qui s'octroient une nuit de camping sauvage. Bref, s'ils repèrent le réservoir, ils risquent de venir fureter.

— Et alors ?

Je me suis surprise à examiner Arizona, en quête du sceau de la mort. J'ai étudié son visage au long nez droit, aux grands yeux sombres et aux fins sourcils arqués qui lui donnaient des airs de sophistication permanente – rien ne laissait deviner sa nature de zombie.

— Ils pourraient aussi nous voir travailler dans le potager ou le corral, a-t-elle continué. L'un de nous les approche par-derrière, les prend au dépourvu. Il suffit d'un coup d'œil.

— Pour les hypnotiser et effacer leur mémoire, a précisé Jonas.

Le front plissé, il nous regardait à tour de rôle, moi, Phœnix et Hunter.

— Nous entrons dans leur tête et les obligeons à rebrousser chemin. Ensuite, nous les réveillons, et ils ont oublié ce qui venait de se passer.

— Ils se sauvent comme s'ils avaient le diable à leurs trousses, a précisé Arizona avec un petit sourire. Ils ont la migraine et le drôle de sentiment que quelque chose ne tourne pas rond. La majorité d'entre eux ne regagnent pas leur voiture en marchant mais en courant.

— J'ai pigé, ai-je ricané, habituée aux méthodes du groupe pour les avoir subies. Ils entendent des battements d'ailes qui les cernent, les suffoquent, hein ? Ils ignorent d'où cette masse surgit, mais elle est assez bruyante pour les rendre dingues. Est-ce ce que vous comptez m'infliger ? ai-je ensuite demandé à Hunter qui, observant un silence menaçant, continuait à me toiser. Effacer ma mémoire ?

— Peut-être bien, oui, a-t-il marmonné. Tu m'en sauras gré, au bout du compte. La vie est beaucoup plus facile quand on n'est pas au courant de notre existence.

— Dis-lui de ne pas faire ça, ai-je lancé à Phœnix. S'il te plaît. Maintenant que je t'ai retrouvé, je ne veux pas oublier.

— Moi non plus, a-t-il acquiescé en me fixant avec intensité. Je tiens à tout me rappeler de toi, tout de nous.

— Tu as conscience que tu es en train de placer Phœnix entre le marteau et l'enclume, Darina ? s'est interposée Arizona d'un ton sec. Souviens-toi qu'il n'est pas libre de ses choix. En tant que Revenant, il doit obéir à

Hunter, sous peine d'être renvoyé dans l'au-delà sans avoir eu l'occasion de régler ses problèmes. Si, au contraire, il se comporte comme un gentil garçon, il te perd à jamais.

— L'impasse, a renchéri Jonas.

— Je ne crois pas que vous réussirez à éradiquer tout ça, ai-je objecté en désignant la grange avant d'emprisonner la tête de Phœnix entre mes mains pour l'obliger à se concentrer sur mon visage. Comment pourrais-je oublier nos retrouvailles, tes étreintes, tes baisers ?

Je m'étais exprimée tout bas, de façon à n'être entendue que de lui. C'était compter sans l'aptitude des Revenants à percevoir la chute d'une feuille de tremble.

— Explique-lui, Phœnix, a grogné Arizona.

— Ils en sont capables, a-t-il soufflé d'une voix étranglée. Tes souvenirs disparaîtront. Tu ne me reverras jamais.

— Mais je promets de ne rien dire à personne ! me suis-je écriée, au désespoir, avant de courir vers Hunter pour le supplier comme une toute petite fille. Je le jure !

Le bonhomme est resté de marbre. Il avait un de ces visages de pierre, sur lequel on distinguait presque les marques laissées par la lame acérée du burin.

— Tu penses pouvoir tenir parole, a-t-il répliqué. Tu y mettrais ta tête à couper. Sauf qu'une erreur est toujours possible, et c'en serait fini de nous.

— Littéralement, a précisé Arizona. Si ceux de l'autre versant apprennent notre existence, nous disparaîtrons pour de bon.

— Sans avoir eu le temps d'accomplir la tâche pour laquelle nous avons été envoyés ici, a ajouté Jonas. Écoute, Darina, voilà presque un an que je suis là, à tenter de clarifier les événements de ce fameux jour, la Harley, la route, l'accident. Mais c'est dur. Je n'ai aucun souvenir de la façon dont ça s'est produit, et ça me rend fou. Je ne suis pas en mesure d'aller trouver Zoey non plus. Elle ne sort presque pas de chez elle. Le temps qui m'a été imparti s'épuise. Il ne m'en reste plus beaucoup.

— Zoey reprend du poil de la bête, ai-je répondu. Elle a subi plusieurs opérations afin de remarcher. Ce sont ses parents qui la couvent trop.

Il a porté une paume à ses yeux, s'est frotté le front du pouce et de l'index.

— J'ai eu tellement peur qu'elle meure, a-t-il avoué.

— Je l'ai recroisée pour la première fois hier, ai-je soupiré. Elle a maigri. Elle continue à se déplacer en fauteuil roulant. Mais elle se remettra.

Jonas a laissé retomber sa main. Ses yeux étaient humides de larmes.

— Je me suis comporté comme un imbécile, a-t-il murmuré. Moi frimant sur ma Harley, me prenant pour le roi de la route. Cet après-midi-là, nous avons traversé Centennial pour rejoindre la nationale. Zoey riait. Elle avait raconté à ses vieux qu'elle allait rendre visite à une copine, et ils avaient gobé son mensonge.

— Ils n'appréciaient pas qu'elle fasse de la moto avec Jonas, a précisé Arizona. Ils n'aimaient pas Jonas, un point c'est tout.

— Elle riait en se collant à moi. Nous avons atteint la croix de néon au niveau du col de Turkey Shoot. À cet endroit, la route redescend, mais elle n'est pas trop raide. J'ai pris le virage, puis... plus rien. Le néant.

— Jonas se croit responsable de l'accident, a lâché Arizona, abruptement. S'il a oublié les détails, l'autopsie a démontré qu'il s'était brisé la nuque et était mort sur le coup. Il est convaincu d'avoir failli tuer la fille qu'il aime.

— Comme tout Ellerton, a chuchoté l'intéressé. Les conclusions de l'enquête m'accablent. Tu as lu les gros titres.

Quand quelqu'un pleure en ma présence, ma gorge se serre, et je suis à deux doigts de fondre en larmes moi aussi. J'ai tenté de réconforter Jonas.

— Zoey ne te reproche rien. Elle n'éprouve aucune amertume.

— Il faut que tu lui transmettes mes excuses, Darina ! a-t-il sangloté. Dis-lui que je ne voulais pas lui faire de mal.

— Voyons, est de nouveau intervenue Arizona, la voix de la raison. Comment Darina s'y prendra après que Hunter aura effacé sa mémoire ? Je te signale qu'il compte appuyer sur la touche Supprimer.

— Non ! s'est écrié Phœnix en se postant devant son mentor. Darina gardera notre secret, j'en suis sûr. Elle est totalement digne de confiance.

— Tu parierais ta vie là-dessus si tu en avais encore une à gager, a ironisé Hunter.

— Ne plaisante pas, a riposté mon petit ami en se rapprochant encore du sale type (ce qui a semblé rendre nerveux les deux autres). Je suis sérieux. Je tiens plus à Darina qu'à moi-même. Je ne veux pas que tu flanques le bazar dans sa tête.

— Au risque de me répéter, comme c'est touchant ! a ricané Hunter. Il n'empêche, je suis loin d'être convaincu, mon garçon. Darina craquera sous la pression. Sa connaissance des Revenants finira par transparaître, et aucun de nous n'obtiendra ce qu'il désire.

Son raisonnement dépassionné a fini par agacer Phœnix.

— Comment arrives-tu à te comporter comme ça ? a-t-il aboyé sous l'effet de la colère. Tu commences par lui flanquer une frousse bleue, puis tu la laisses franchir les obstacles. Tu nous autorises à nous revoir, puis tu nous claques la porte au nez. Dis-lui qu'il n'en a pas le droit, Jonas ! Dis-lui qu'il ne peut pas effacer les souvenirs de Darina.

— Ce n'est pas moi qui y changerai quoi que ce soit, a répliqué l'interpellé en haussant les épaules. C'est lui qui décide.

Tournant le dos à Phœnix, le chef du groupe m'a dévisagée.

— Tu ne souhaites donc pas retourner à Ellerton ? m'a-t-il demandé. Retrouver ta famille, aller au lycée, opter pour une fac, comme tous les autres gamins de terminale ?

— Je ne suis pas comme eux, me suis-je emportée. Je ne suis pas un mouton de Panurge. Hein, Phœnix ?

Malheureusement, ce dernier semblait avoir épuisé toute son énergie avec sa dernière réplique. Silencieux, il s'est borné à se coller à moi et à me prendre la main.

— Très bien, a fini par déclarer Hunter, voici ce que nous allons faire. Pour l'instant, j'ai des sujets plus urgents à régler. Je ne prendrai ma décision qu'après mûre réflexion, plus tard dans la journée peut-être. Arizona, emmène Darina dans la maison et reste avec elle. Jonas et Phœnix, j'ai besoin de vous. Suivez-moi.

Je n'avais pas envie de quitter la grange, terrifiée à l'idée de me séparer de Phœnix et de ne jamais le revoir. Sauf qu'Arizona m'a jeté un drôle de regard. Utilisant un de ses tours de passe-passe de zombie, elle a sapé toute résistance de ma part et m'a obligée à la suivre sans plus protester. Mes jambes ont bougé toutes seules.

— Estime-toi heureuse, m'a-t-elle dit une fois dehors.

Le vent qui soufflait sur la cour ébouriffait ses cheveux qui lui fouettaient le visage.

— De quoi ?

— Tu disposes de quelques heures supplémentaires. Pour être avec ton chéri, pour comprendre ce qui se joue ici. La plupart des gens n'ont pas droit à ça.

À l'intérieur de la ferme-musée, elle m'a fait asseoir sur un rocking-chair poussiéreux installé près de la cuisinière. Se perchant sur la table, elle m'a toisée.

— Tu dois vraiment l'aimer, en fin de compte, a-t-elle marmonné.

— Oui. Je refuse de vivre sans lui. Je me fiche de ce que décidera Hunter. Seul compte Phœnix.

— Là encore, tu as de la chance. Je n'ai jamais rien ressenti de tel pour personne, quand j'appartenais à l'autre versant. J'imagine que je ne connaîtrai pas ça, à présent.

J'ai cru déceler une faille dans son armure. J'en ai aussitôt profité.

— Alors, laisse-moi partir, ai-je plaidé. Il te suffit d'ouvrir la porte, qui s'en rendra compte ? Je te jure que je tiendrai ma langue.

Elle a secoué la tête avant de croiser nonchalamment ses jambes.

— Moi qui te croyais bonne élève, Darina ! a-t-elle rigolé. Bizarre, certes, mais brillante.

— Et moi, me suis-je fâchée en bondissant sur mes pieds, j'ai toujours su que tu ne te prenais pas pour de la crotte. J'avais raison !

Un nouveau regard de sa part m'a coupé les jambes. Je suis retombée sur mon siège.

— N'oublie pas que Hunter perçoit la moindre de nos paroles. Il est dehors, avec Phœnix et Jonas, à l'affût des chasseurs venus pour le week-end. Tout un groupe a débarqué un peu plus bas le long de la rivière, au camp de Government Bridge. Hunter veut s'assurer qu'ils ne traîneront pas leurs guêtres par ici. Ça ne signifie pas pour autant qu'il ne nous espionne pas.

J'étais dans un tel état d'énervement que des larmes m'ont brûlé les paupières.

— Vous êtes prisonniers, tous autant que vous êtes. Comment pouvez-vous vivre comme ça ?

— Il ne s'agit pas de « vivre », a répondu Arizona avec un mince sourire. Du moins, pas comme tu l'entends. Il faut que tu te fourres ça dans le crâne, Darina, Phœnix n'est plus vivant. Aucun de nous ne l'est.

— Où qu'il soit, quoi qu'il soit, je veux être avec lui. À ton tour de te fourrer ça dans le crâne.

Pour être honnête, Arizona et moi n'avions jamais été copines. Bien que dans les mêmes classes depuis la troisième, nous n'étions pas proches. Elle était du genre solitaire, encore plus que moi, ne s'ouvrait pas aux autres. Il se peut aussi que j'aie été jalouse d'elle – sa beauté, son style, son intelligence. Elle avait tout eu pour elle, cette Arizona.

— OK, a-t-elle dit, ce sujet est clos. Tu restes ici. Et, pendant que nous y sommes, je souhaite mettre une ou deux choses au point.

— Vas-y.

Posant ma tête sur le dossier en bois dur, je me suis efforcée d'endiguer le flot de larmes qui obscurcissait mes yeux.

— Pour commencer, tu détestes Hunter. Je comprends tes raisons. Néanmoins, son boulot, c'est de protéger le groupe. Il est notre suzerain. Sans lui, nous aurions disparu sans laisser de traces. Tu devrais le remercier d'avoir ramené Phœnix.

— Comment ça, votre suzerain ? Pourquoi lui ?

Les pouvoirs de Hunter me fichaient de plus en plus la trouille.

— Ce n'est pas la première fois qu'il revient sur l'autre versant. Il est mort depuis longtemps, presque un siècle. S'il était vivant, il aurait vingt ans de plus que cette ferme, qu'il a construite de ses propres mains.

Je me suis redressée d'un coup.

— Tu veux dire qu'il est mort ici ?

— Oui. On l'a descendu, une balle en plein front. Le coupable n'a jamais été puni, et il est trop tard, maintenant. Hunter est resté dans les limbes. Il est devenu un suzerain, prêt à ramener les âmes sur l'autre versant et à les guider dans leur mission. Nous constituons son sixième groupe. Nous sommes huit, neuf en le comptant. Cela fait pas mal de disparus qui ne trouvent pas le repos à gérer, donc il n'est pas étonnant qu'il soit aussi strict.

— Il n'est jamais plus...

Je me suis interrompue, à défaut de trouver le mot juste.

— Sympa ? a rigolé Arizona.

Visiblement, elle a perçu des bruits dehors, car elle est allée ouvrir la porte. Summer est entrée avec un bol de soupe et des biscuits secs qu'elle a placés sur la table.

— Darina demande si Hunter se détend parfois, lui a annoncé Arizona.

— Salut, Darina ! m'a lancé la nouvelle venue en l'ignorant et en évitant de me regarder. Hunter et les garçons risquent d'en avoir pour un moment. Il vaudrait mieux que tu manges.

— Parce que tu crois que j'ai faim ? Écoute, Summer, il faut que je persuade Hunter de m'autoriser à repartir. Il veut effacer tous mes souvenirs. Comment je l'en empêche ?

— Tu ne peux pas.

Comme le reste de la bande, elle était exactement comme celle qu'elle avait été lorsqu'elle avait vécu sur ce qu'ils appelaient l'autre versant. De longues boucles blondes et souples encadrant un visage en cœur. Elle portait un haut bleu à large encolure qui dénudait une de ses épaules et dévoilait une ossature aussi délicate que celle d'un oiseau.

— Hé, c'est moi, Darina, qui te parle, ai-je râlé. Toutes gosses, nous étions inséparables. On aurait dit deux sœurs siamoises quand...

— Quand j'étais en vie ? m'a-t-elle coupée en me fixant droit dans les yeux. Je sais, Darina. Et ne pas pouvoir t'aider m'est douloureux.

— Sauf que moi, je suis en mesure de t'aider, toi ! ai-je crié en me levant. Tu es censée accomplir une mission, non ? Tous, vous êtes revenus des limbes afin d'obtenir justice.

Les deux filles ont froncé les sourcils. J'avais réussi à éveiller l'attention de Summer. Arizona, elle, se montrait aussi distante et soupçonneuse que d'habitude.

— Eh bien, ai-je enchaîné, je pourrais participer à cette quête. Retourner à Ellerton et jouer les détectives. Vous me dites quelles questions je dois poser, et je vous obtiens les réponses !

J'ai écarté les bras, paumes en l'air. Soudain, j'étais un génie !

— Tu te prends pour qui ? s'est esclaffée Arizona.

— Comment ça ? Es-tu en train de suggérer que je n'en suis pas capable ? (Décidément, cette fille était la plus agaçante du lycée !) Écoute, ma vieille, tu n'as peut-être pas envie que je te donne un coup de main, mais je suis sûre que ce n'est pas ton cas, Summer. J'ai croisé ton père, l'autre jour. Je n'aurais qu'à passer chez vous et transmettre à tes parents le message qui te tient à cœur.

Elle a pris une profonde aspiration.

— Ils me manquent, a-t-elle soufflé. Je suis tellement triste.

— Comme nous tous, a lâché Arizona. Tout le bled est traumatisé. Ce genre de drames, meurtres à l'arme blanche, fusillades, sont le lot des grandes villes, pas d'Ellerton. À croire qu'un tremblement de terre a eu lieu. Le sol s'est fissuré, engloutissant l'ensemble de la population.

La violence de ses mots m'a choquée. Surtout parce qu'ils étaient justes. Quatre adolescents du bahut local avaient disparu, et les parents se levaient tous les matins en se demandant qui serait le prochain sur la liste.

— Bon, comment crois-tu pouvoir aider ces gens ? a poursuivi Arizona, qui avait abandonné sa posture moqueuse et paraissait sérieusement intéressée. Comment envisages-tu de découvrir ce qui nous est arrivé, à Summer et à moi, à Jonas et à Phœnix ?

Je refusais de m'avouer vaincue, je ne renoncerais pas avant d'avoir essayé.

— En tout cas, j'ai plus de chance que toi d'y parvenir, ai-je riposté. Moi au moins, je ne suis pas obligée de me cacher.

L'après-midi s'est traîné en longueur. Je l'ai passé dans mon rocking-chair, avec l'impression qu'un siècle de poussière me recouvrait peu à peu.

— Où sont-ils ? ai-je fini par demander à Arizona qui continuait à monter la garde. Qu'est-ce qui retient Hunter ?

Assise près de la fenêtre, elle regardait dehors.

— Ils ont dû avoir des ennuis du côté de Government Bridge. Une des autres filles, Ève, a été appelée en renfort. Ce ne serait pas la première fois que ça arrive.

— Explique-toi.

— Ça sent mauvais. La saison de la chasse vient de débuter, et les mecs à gros muscles et gros fusils rappliquent. De vrais héros. Ha !

— J'ai aperçu un cerf à queue noire, l'autre jour, me suis-je souvenue.

— Ils pullulent, dans le coin. Il y a de bonnes pâtures en altitude et dans la vallée. Bientôt, l'endroit sera bondé de chasseurs.

— Trop pour que vous les gériez ?

— Oui. Certains parmi eux sont devenus vigilants. Ils soupçonnent quelque chose de bizarre, et ça ne leur plaît pas.

— Ils ont les jetons et ne comprennent pas pourquoi, ai-je acquiescé pensivement.

Je n'avais aucun mal à me représenter le tableau – des battements d'ailes envahissant leurs crânes de durs à cuire, des têtes de mort piquant sur eux et effaçant leurs souvenirs.

— D'après Hunter, les conversations vont bon train, dans les bars de la ville, les stations-service et les armureries. Des gars parlent d'organiser des battues communes. Si ça se trouve, ce sont justement ceux qui ont investi le camp.

Me levant, je me suis mise à arpenter la pièce, les lattes du parquet craquant sous mes pas.

— Ne t'inquiète pas, a repris Arizona avec un sourire sinistre. Phœnix ne peut pas être tué deux fois. De toute façon, ces hommes ne le voient pas. Nous pouvons nous rendre invisibles si nous le voulons. Je crois plutôt que les gars de la battue se sont séparés en petits groupes, et que certains d'entre eux continuent à fouiller dans les parages. Quand Hunter les aura repérés, ils déguerpiront en quatrième vitesse.

La peur au ventre mais trop machos pour l'admettre, ai-je songé. J'ai imaginé sans peine les rodomontades de ces fiers-à-bras, ce soir-là autour d'un verre.

— Et tu sais le plus drôle ? a enchaîné Arizona. Le père de Jonas fait partie d'une de ces milices.

— Sans blague ?

— Je t'assure.

— Ce n'est vraiment pas amusant. Pauvre Jonas ! Obligé de fiche la frousse de sa vie à son père.

Tandis que nous discutions ainsi, elle tout sourires et moi révoltée, une silhouette est apparue sur la crête de la colline et a entrepris de dévaler la pente en courant. Ayant tout de suite identifié Phœnix, j'ai ouvert la porte de la cuisine à la volée.

— Stop ! a crié Arizona.

Je m'apprêtais déjà à filer. Me courant après, elle m'a rattrapée et saisie par le poignet, serrant si fort que j'ai eu l'impression qu'un cercle d'acier se refermait. J'ai hélé Phœnix. En le regardant avancer à grandes enjambées, je me suis encore une fois demandé comment quelqu'un qui semblait aussi vivant et puissant pouvait être mort. Il a sauté par-dessus une clôture en bois et traversé la cour.

— Tout va bien, nous a-t-il annoncé. Le camp est désert. Les chasseurs ont fini par grimper dans leurs jeeps et par retourner dans la vallée.

— Combien étaient-ils ? s'est enquise Summer, qui était sortie de la grange en l'entendant arriver.

— Dix en tout.

— Y compris Bob Jonson ? a demandé Arizona.

— Oui. Ça n'a pas été facile pour Jonas.

À cet instant, Phœnix a remarqué qu'elle me retenait avec fermeté. Il a plissé le nez, et elle m'a lâchée.

— Hunter s'est occupé de lui, veillant à ce qu'il ne croise pas le chemin de Bob. Malheureusement, il l'a aperçu de loin, en moto sur la route de Foxton. Il s'est acheté une Harley, exactement la même que celle de Jonas.

Personne n'a pipé mot pendant une minute, puis Phœnix a gentiment pris ma main.

— Viens !

Il m'a entraînée à l'intérieur de la grange, pour que nous ayons un moment de tranquillité. Nous nous sommes assis sur les marches en bois qui conduisaient au fenil, dans le cône de lumière d'un rayon de soleil. Je me suis soudain sentie très calme.

— Darina... a commencé Phœnix.

J'ai posé un doigt sur ses lèvres.

— Chut.

Il m'a regardée dans les yeux. Les siens étaient de ce bleu-gris fascinant, aussi profond que l'océan ; ses sourcils droits et ses pommettes hautes encadraient ces prunelles et les rendaient encore plus lumineuses.

— Je voudrais que ce moment dure éternellement, ai-je murmuré. Peux-tu arrêter la course du temps ?

Le soleil, la danse de la poussière, une colombe blanche dans les chevrons.

— Je n'ai pas encore appris ce tour-là, a-t-il souri. Même Hunter n'est pas aussi fort. Dis-moi, Darina, nous sommes sortis ensemble longtemps ?

Ce brusque changement de sujet m'a étonnée, ce qui ne m'a pas empêchée de répondre aussi sec :

— Deux mois, deux jours et sept heures. Toute une vie, quoi.

— C'est passé vite, a-t-il commenté en étudiant ma paume et en suivant du doigt ma ligne de vie. J'étais obsédé par toi. Tu étais constamment dans ma tête.

— Même avant notre premier baiser ?

Il a opiné, a jeté un coup d'œil par terre avant de me fixer de nouveau sous ses paupières lourdes.

— Dès le jour où je suis entré au lycée et où je t'ai vue. *Boum !* Mon cœur a explosé. Ensuite, on s'est mis ensemble, et ça ne m'a pas donné l'impression d'un premier baiser. C'était plutôt comme si j'avais consacré toute mon existence à t'embrasser.

Je me suis penchée vers lui, j'ai collé ma joue contre la sienne.

— C'était si bon. Je ne supporte plus rien, maintenant que tu es parti.

— C'est justement ce dont nous devons parler, a-t-il répondu en repoussant mes cheveux en arrière. Promets-moi que tu trouveras une façon d'avancer sans moi.

— Non ! l'ai-je supplié. Ne me demande pas ça. Je suis ici, pour l'instant. Je refuse de penser à autre chose.

— Écoute-moi. Hunter va bientôt rappliquer. Avant, j'ai besoin de ta promesse – ne fais pas de bêtise.

— Comme oublier de continuer à vivre ?

Ma pitoyable tentative pour alléger l'atmosphère s'est terminée par ma voix qui déraillait et les larmes qui dégoulinaient sur mes joues. Phœnix a pris ma nuque dans ses paumes en coupe.

— Tu as l'avenir devant toi, Darina. Vis-le pour moi, s'il te plaît.

— Je pourrais aussi mourir et te rejoindre, ai-je objecté. Je te retrouverais dans les limbes, nous serions de nouveau ensemble.

Il a secoué la tête.

— Ce n'est pas comme ça que ça marche. Et puis arrête de dire des trucs pareils, tu me rends dingue.

— Ce ne serait pas plutôt moi, la dingue ?

Après tout, j'étais celle qui consultait un psy.

— Le temps presse, a-t-il insisté. Il faut que tu comprennes. Notre amour ne s'achève pas juste parce que je ne suis plus là. Il survit. Je t'aime. Tu m'aimes. À jamais.

— Mais où survit-il ? Comment ?

J'étais au désespoir. Phœnix ne prenait pas la mesure du trou qu'il avait laissé dans mon cœur en mourant. Sinon, il ne se serait pas exprimé ainsi.

— Comme ça, c'est tout. Chaque fois que tu penses à moi, c'est de l'amour. Tous les crépuscules, la moindre goutte d'eau claire pareille à un diamant dans Deer Creek, c'est de l'amour.

— Ça n'est pas assez. J'ai besoin de toi auprès de moi.

S'il s'en allait maintenant, ce serait comme me mettre en pièces.

— Je suis auprès de toi, a-t-il répliqué sans ciller. Mon cœur y est, crois-moi.

J'ai fermé et rouvert les yeux.

— Peux-tu prédire le futur ? Je voudrais savoir si je serai de nouveau heureuse un jour.

— Non, je ne vois que le passé. Je suis en mesure de te ramener à notre premier rancard, à la première fois où j'ai pris ta main, et où tu m'as dit que c'était bizarre. Je n'étais pas tel que tu te l'étais imaginé.

— Et toi, tu as répondu : « Et comment m'imaginais-tu ? » (Je m'en souvenais mot pour mot.) Et moi, comme d'habitude, j'ai foncé bille en tête, et je t'ai expliqué que j'avais pensé que tu serais un dur, à l'instar de Brandon. Tu as ri, tu t'es exclamé : « Merci pour le compliment ! », et moi j'ai tenté de rattraper le coup en te priant de ne pas te vexer, je ne voulais pas dire que tu étais une brute macho, juste que tu étais super mignon...

Il m'a adressé un grand sourire, a posé ma main sur mon propre cœur.

— Tu vois ? a-t-il murmuré, c'est là qu'est l'amour. Il ne disparaîtra jamais.

Sur ce, Hunter et Jonas sont entrés dans la grange.

Chapitre 4

— Je vais vous exposer mon plan, a déclaré Hunter.

Jonas paraissait presque brisé par l'épreuve qu'il venait de subir – découvrir son père au milieu de la milice improvisée, assister à l'effacement de sa mémoire par les Revenants. Il baissait la tête, épaules affaissées.

— Darina, a poursuivi Hunter, tu vas pouvoir rentrer chez toi avec ton cerveau en bon état de marche.

Phœnix et moi avons bondi sur nos pieds. Debout devant Hunter, nous avons écouté son verdict.

— À deux conditions, a-t-il enchaîné d'une voix dure, le visage fermé. Un, tu la boucles.

— Super ! ai-je chuchoté. Je jure de ne pas dire un mot.

Le suzerain s'est approché, s'interposant entre Phœnix et moi.

— Je n'en doute pas, a-t-il lâché en m'adressant un regard d'une assurance absolue, avant de lâcher l'ingrédient de la mort dans le shaker : Parce que si tu romps ta promesse, je renverrai aussi sec ton copain à l'endroit d'où il vient. Et cette fois, ce sera définitif.

J'ai tendu le bras pour saisir la main de Phœnix, mais Hunter m'a retenue par le poignet.

— Deux, a-t-il repris, tu bosseras pour nous quand tu seras rentrée à Ellerton.

— Je ferai tout ce que vous voudrez, ai-je opiné. Arizona, Summer et moi en avons déjà discuté.

— Je sais, a répondu l'autre avec un sourire. Si je me souviens bien, Arizona ne croit pas que tu arriveras à découvrir la vérité. En bref, elle n'a pas une grande estime de toi.

— Elle ne me connaît pas, me suis-je défendue. Et puis, ce dédain est réciproque.

— Je te conseille d'oublier tes sentiments personnels. Ta mission est de nous seconder. Pour commencer, tu te concentreras entièrement sur Jonas.

Cette précision m'a déçue, mais j'étais d'accord pour jouer le jeu de Hunter si ça devait signifier que je passerais plus de temps avec Phœnix.

— Que dois-je chercher ? me suis-je empressée de demander.

Dans ma hâte, je ne me suis pas accordé le temps de la réflexion. Ainsi, je n'ai pas saisi que Hunter devait avoir mis au point sa tactique dès le premier jour, lorsqu'il m'avait laissée avoir des « visions » de Phœnix dans les lieux que nous avions fréquentés, s'arrangeant pour que je tombe sur la maison et la grange abandonnées, testant ma résistance à coups de battements d'ailes et de crânes. En cet instant n'importait qu'une chose : j'étais prête à mourir pour aider Phœnix et les autres.

— Prends contact avec Zoey, m'a ordonné Hunter. Jonas a essayé de se rapprocher d'elle pour déterminer ce qui s'est produit ce jour-là, mais plus nous nous éloignons de notre base, plus nos pouvoirs s'amenuisent. Sans compter qu'il a rencontré des obstacles. Ça dépend de toi, maintenant.

— J'y arriverai. Je peux aussi lire le compte-rendu de l'affaire par le tribunal sur

Internet. Ils évoqueront forcément les circonstances de l'accident.

— Soit, a acquiescé Hunter en inclinant la tête et en grattant la repousse de barbe sur la fossette de son menton, mais tu n'y trouveras aucun témoignage direct, rien que les mesures des traces de dérapage prises par les flics et les clichés de l'équipe technique, ce genre de choses.

— Il n'y avait personne dans le coin, a précisé Jonas en se mêlant de la conversation pour la première fois. Ils affirment que je fonçais comme un malade, ce qui n'a aucun sens. Je connaissais cette route par cœur.

— Qu'est devenue la moto ? ai-je demandé. Qu'en ont-ils fait, après l'accident ?

— Les policiers l'ont saisie, a répondu Hunter. Comme preuve. Ils ont évalué la vitesse au moment de la catastrophe, ont vérifié les pneus, les freins, etc. Tous ces éléments ont été présentés lors de l'enquête.

— Je ne roulais pas aussi vite qu'ils le prétendent, a insisté Jonas. J'étais toujours raisonnable quand Zoey était ma passagère.

— Alors, il faut qu'elle se souvienne, ai-je conclu. Si elle est la seule à pouvoir soutenir ta version, nous devons l'aider à recouvrer la mémoire.

— Exact, a acquiescé Hunter d'une voix dénuée de sentiments. Où en est votre amitié ? Tu as de meilleures relations avec elle qu'avec Arizona ?

— Elle et moi nous connaissons depuis longtemps, ai-je répliqué sans entrer dans les détails.

S'il était réellement aussi puissant, il n'avait qu'à lire dans mon esprit pour apprendre tout sur l'épisode Matt Fortune qui nous avait quelque peu séparées, Zoey et moi.

— Après que je lui ai parlé, et qu'elle a retrouvé ses souvenirs, ai-je poursuivi, comment je vous transmets le message ?

— Jonas apparaîtra quand tu auras besoin de lui, a répondu Hunter sans ciller.

— Et Phœnix ?

Si je vendais mon âme et jurais le silence, je voulais pour le moins une petite récompense. Le chef des Revenants m'a toisée avec une telle dureté que j'ai baissé les yeux.

— Reconduis Darina jusqu'au réservoir, Phœnix ! a-t-il ensuite ordonné. Dis-lui au revoir et veille à ce qu'elle regagne sa voiture.

— Merci, ai-je soufflé.

Il m'a cependant renvoyé ma gratitude en pleine figure.

— Phœnix a intérêt à ce que tu restes saine et sauve. Il sait que si tu parviens à obtenir les réponses que cherche Jonas, tu poursuivras avec Arizona et Summer jusqu'à t'occuper de son propre cas.

— Ce n'est pas vrai ! ai-je presque hurlé. Il ne me protège pas pour des raisons égoïstes. Il *m'aime* !

Hunter a jeté un coup d'œil derrière lui, dans la grange où le soleil faisait danser les grains de poussière.

— Je t'ai déjà dit d'oublier tes sentiments personnels.

— Impossible ! Il m'aime !

J'en étais certaine et je voulais que ce sale type l'admette. Accroché à mon bras, mon petit copain a tenté de me tirer en arrière. Pâle et triste, Jonas s'était isolé dans l'ombre.

— Il *t'aimait*, peut-être et quoi que ça signifie, a concédé Hunter, les mains appuyées sur les rampes de l'escalier menant au fenil, comme prêt à grimper les marches deux à deux. Les choses ont changé, cependant. Aimer suppose d'avoir un cœur. Du sang qui court dans les veines.

— Et alors ? me suis-je écriée en contemplant Phœnix, effrayée.

— Il n'a plus ni sang ni cœur, a lâché Hunter avec cruauté avant de disparaître à l'étage. Si tu ne me crois pas, pose ta tête contre sa poitrine. Tu n'entendras aucun battement.

Je tremblais quand Phœnix m'a raccompagnée au sommet de la colline. Les paroles de Hunter étaient vraies, c'était pour ça que les Revenants étaient si pâles, pour ça que la peau de mon bien-aimé était froide au toucher. C'était la première fois que je prenais véritablement la mesure de ce que signifiait revenir d'entre les morts.

— Qui dois-je croire ? lui ai-je demandé dans l'ombre frissonnante des trembles et du réservoir. Toi ou lui ?

Il a pris une longue aspiration, le visage à demi détourné.

— Hunter détient le pouvoir, a-t-il murmuré avec amertume. Il prend son pied à être suzerain. N'oublie pas qu'il est mort depuis très longtemps.

— En tout cas, s'il voulait me choquer, il a réussi.

Phœnix m'avait laissé plaquer mon oreille sur son torse et écouter, comme un homme condamné à la chaise électrique attend qu'on appuie sur le bouton. Puis, en silence, il m'avait entraînée dehors. En cet instant, il se tenait un peu à l'écart et contemplait les montagnes lointaines aux cimes déchiquetées.

— Je viens souvent ici, a-t-il soufflé. Tu vois cette saillie ? On l'appelle le rocher de l'Ange, parce que...

— Elle ressemble à un ange, de côté.

Je distinguais nettement la forme d'une tête, d'ailes, et d'une aube pareille à celle dont on affuble les figurines en papier qu'on accroche au sapin de Noël.

— Et cette pierre grise et lisse à stries verticales, là-bas, c'est le rocher de Midi.

— Tais-toi, ai-je chuchoté en glissant ma main dans la sienne.

Plissant le front, il a fixé l'horizon.

— Ce n'est pas grave, ai-je poursuivi. Je me fiche de ce que raconte Hunter.

Nous sommes restés longtemps ainsi, les doigts noués. Tant qu'il était là, je survivrais.

— Je t'assure, il n'y a pas de souci, ai-je insisté.

Ma voix s'est perdue dans les feuilles vert-argent chatoyantes. Les doigts de Phœnix étaient froids. Je l'ai contemplé. Ses yeux reflétaient de grands pans des montagnes et des rivières qui s'étiraient devant nous.

— Tu m'aimes. Je sais que tu m'aimes.

Les au revoir ne sont jamais plaisants. Ils sont même carrément détestables, point barre.

J'ai quitté Phœnix sur la crête, ai regagné ma voiture comme un automate. À un moment, je me suis retournée. Il n'avait pas bougé, me regardait. J'ai failli lever la main pour lui adresser un signe, ai renoncé. Le cerveau embrumé, je suis montée dans l'habitacle chauffé à blanc par le soleil. J'ai mis le contact, baissé toutes les vitres et, sans un coup d'œil derrière moi, je me suis éloignée.

Ma priorité, désormais, était de rendre visite à Zoey. J'ai consulté ma montre. Dix-huit heures trente. Si je roulais vite, je pouvais être chez elle en moins d'une heure. Serait-ce trop tard pour débarquer sans prévenir ? Appuyant sur l'accélérateur, j'ai cahoté le long de la piste à toute vitesse. Au détour d'un virage, j'ai freiné à mort : un autre véhicule montait en sens inverse.

Ma voiture a chassé, un bruit de tôle froissée a retenti, et j'ai terminé ma course dans le fossé. La seconde suivante, Logan m'attrapait par l'épaule à travers la fenêtre baissée.

— Ça va, Darina ?

Il était ébranlé, ça se lisait sur ses traits.

— Oui, ai-je répondu en ouvrant la portière, le forçant à reculer.

Je suis sortie. Les roues avant avaient plongé dans le trou, la bagnole était inclinée à un angle de quarante-cinq degrés.

— Qu'est-ce que tu fiches ici, Logan ?

— Je suis allé à Foxton avec une bande de potes. Christian, Lucas, Matt.

— Et où sont-ils ?

Je m'attendais à ce qu'un convoi de voitures déboule sur le chemin désert.

— Ils sont restés au magasin désaffecté. Le père de Christian vient de le racheter pour le rénover. Il nous a permis de nous y installer ce week-end pour pêcher.

— Petits veinards, ai-je marmonné en me préparant à la contre-offensive de Logan.

Ça n'a pas raté.

— Et toi, qu'est-ce qui t'amène dans le coin ?

— Je me baladais.

Sentant que je rougissais, je m'en suis voulu. Mon ton avait été hésitant, alors que je l'avais espéré convaincant.

— Mais pourquoi ici ? a insisté Logan en examinant ma voiture sans cesser de se gratter la tête. Tu as vu que tu as enfoncé ton pare-choc avant ?

— On s'en fiche, c'est une vieille guimbarde, de toute façon.

— Tu bloques la route. Il faut que j'aille chercher la jeep de Christian pour te tirer de là.

Peu désireuse d'en rajouter, je lui ai demandé s'il ne pouvait pas me remorquer lui-même.

— Tu as une idée de la puissance de mon moteur ? Impossible. Et tu n'as pas répondu à ma question. Qu'est-ce que tu fiches à mi-chemin d'une montagne dans ta caisse pourrie ? Tu n'as même pas quatre roues motrices.

— J'avais besoin de réfléchir. Je réfléchis bien, quand je conduis.

— Laura est au courant ? a demandé Môssieur Raisonnable en secouant la tête.

— C'est ça ! Comme si j'avais cinq ans et que je devais obtenir la permission de ma mère pour respirer !

Mon ironie a eu le don d'assombrir son visage.

— Tu es cinglée, tu le sais ? Et s'il t'était arrivé un truc vraiment grave ?

— Parce que ça, ce n'est pas assez grave à ton goût ?

Je me suis rendu compte alors que je m'étais cogné l'avant-bras en perdant le contrôle du volant. Remontant ma manche, j'ai montré mon bleu à Logan.

— Il faut que tu voies un médecin, a-t-il aussitôt décrété. Oublie ta bagnole et monte dans la mienne. Je te ramène à Ellerton.

— Pas de toubib, ai-je objecté. Je n'ai rien de cassé. Regarde, je bouge les doigts.

— Oublie ta bagnole quand même. Tu es sûrement en état de choc. Je t'emmène à la boutique.

De mauvaise grâce, je lui ai obéi.

— Franchement, Logan ! ai-je soupiré une fois à côté de lui. Pourquoi fallait-il que tu sois au mauvais endroit au mauvais moment ? Si je ne te connaissais pas, je dirais que tu me suivais.

Tournant la tête vers moi, il m'a longuement dévisagée.

— Auquel cas, ce ne serait que pour t'empêcher de commettre une grosse bêtise.

— Genre ?

— Toute cette histoire avec Phœnix t'a chamboulée. Cette semaine, tu as eu un comportement anormal. Pas de problème, je comprends. Mais tu as besoin qu'on veille sur toi, Darina. C'est sûr et certain.

— Et le meilleur pour ça, ce serait toi, hein ?

Nous venions de dépasser les cabanes des pêcheurs qui surplombaient la rivière et arrivions à l'unique carrefour conduisant à Foxton. J'ai remarqué que la porte du vieux magasin était ouverte, et que deux types étaient assis sur la véranda latérale.

— Ça ne me dérangerait pas, a murmuré Logan avant de m'adresser un immense sourire, allégeant l'atmosphère. Tu es aussi folle qu'un opossum qu'on vient de canarder, dirait mon père.

Lorsque Logan s'est garé devant le magasin, un troisième gars a rejoint les deux premiers. Je n'ai eu aucun mal à reconnaître la silhouette trapue et courtaude de Christian

Oldman. Le frisé installé sur une chaise en bois délabrée était Lucas Hart, et celui en blouson de cuir ressemblait à s'y méprendre à Matt Fortune.

— Hé, les mecs ! a annoncé Logan en sautant de sa Honda et en m'ouvrant la portière. Regardez qui j'ai trouvé !

La musique assourdissante qui s'échappait de l'intérieur de la maison a presque couvert ses paroles. Christian est rentré la baisser.

— Salut, Darina, m'a lancé Lucas sans bouger.

Il se balançait sur son siège en battant la mesure du pied. Matt n'a pas daigné me saluer, ce qui ne m'a pas surprise.

— Darina a bousillé sa voiture sur la piste, les a informés Logan.

— Je n'ai rien bousillé du tout ! ai-je protesté, défiant ces crétins de balancer une vanne sur les femmes au volant. J'ai juste réarrangé le pare-choc avant.

— Tiens, assieds-toi, m'a proposé Lucas en me cédant sa chaise. Tu as l'air un peu secouée.

— Non merci, ça va.

Je comptais bien filer d'ici dès qu'ils auraient ramené ma bagnole. Il y avait trop d'hormones mâles à mon goût dans les parages. Il suffisait de voir les bras nus aux biceps saillants, les jambes écartées et les coups d'œil en douce, lourds de sens. Sans compter la présence de Matt Fortune.

— Il nous faut ta jeep, Christian. Pour sortir sa caisse du fossé.

— C'est parti.

Le champion de boxe du lycée n'a pas hésité. Sans un mot, Matt l'a suivi jusqu'à son 4 × 4 poussiéreux. En moins de dix secondes, ils étaient partis.

— Qui veut un soda ? a demandé Lucas.

Sans attendre notre réponse, il est entré dans la boutique. Ce faisant, il a frôlé deux cannes à pêche qui étaient appuyées contre le mur et les a envoyées valser par terre. Avec force jurons, il les a ramassées avant de disparaître à l'intérieur.

— Lucas, c'est James Bond sans les femmes et la classe, s'est marré Logan. Un homme d'action, certes, mais plutôt dans le genre de l'Incroyable Hulk.

— Je l'aime bien, ai-je avoué.

J'ai guetté l'instant où des bruits de vaisselle brisée et de nouvelles grossièretés nous parviendraient. Pendant ce temps, Logan continuait à faire pression sur moi, revenant au sujet que je tenais à éviter par-dessus tout.

— Je n'aime pas que tu partes toute seule à l'aventure comme ça, Darina. C'est dangereux.

— J'ai l'impression d'entendre mon père !

Flûte ! Une fois encore, je me suis empourprée. C'était Logan qui avait été là quand mon géniteur s'était tiré pour de bon. Lui et moi n'avions que douze ans, à l'époque, mais je vous jure qu'il s'était montré meilleur ami que je ne le méritais. La petite Darina, écorchée vive, lunatique, avait toujours pu compter sur un Logan fiable et pondéré. Cet été-là, nous l'avions passé à éviter nos parents, filant en vélo à Deer Creek et nageant dans le lac Hartmann.

— Excuse-moi, ai-je marmonné. Ce n'est pas ce que je voulais dire.

Il a haussé les épaules.

— Pas grave. Tu as eu vent des rumeurs ?

— Quelles rumeurs ?

— Celles à propos de la crête de Foxton. Des types racontent que des trucs bizarres se déroulent là-haut. Ils ont entendu des voix, ils ont aperçu des silhouettes qui se faufilaient dans l'ombre.

— C'est ça, des pauvres mecs bourrés qui voient des éléphants roses, ai-je contré en sentant les cheveux se hérisser sur ma nuque. Quelques bières, et ils nous sortent le grand jeu.

— Et s'il y avait du vrai dans leurs histoires ? Ils parlent d'une maison hantée cachée de l'autre côté de la crête, dans une combe perdue où personne ne va jamais.

— C'était donc ça que tu cherchais ? Tu es devenu chasseur de fantômes ou quoi ?

Nouvelle tentative pour changer de sujet.

— Et pourquoi pas ? Des tas de gens croient aux revenants. Lucas, par exemple.

— J'ai les oreilles qui sifflent, a lancé ce dernier en sortant de la boutique avec trois cannettes. Qui déblatère sur mon compte quand j'ai le dos tourné ?

— Tu prends au sérieux les racontars sur ce qui se passe là-haut, hein ? lui a dit Logan.

— Oui. D'ailleurs, j'ai vu un spectre, un jour. Quand j'étais môme. Je me suis réveillé en pleine nuit, et il y en avait un dans ma chambre.

— N'importe quoi ! me suis-je exclamée, moqueuse, afin de rabaisser ce costaud de

Lucas. Je te parie que c'était ta sœur avec un drap blanc sur la tête.

« Je vous en supplie, ai-je prié en silence. N'écoutez pas les ragots ! »

— De toute façon, en quoi ça te gêne que je chasse des fantômes ? a réattaqué Logan.

— Et toi, qu'est-ce que ça t'apporte ?

— Rien.

La conversation ne prenait pas le tour que j'aurais souhaité.

— Je suis épatée que des gars comme vous tombent dans le panneau, ai-je raillé.

— Nous ne sommes pas les seuls, a souligné Lucas. Toute la ville ne parle plus que de ça. Les anciens envisagent d'organiser des battues pour vérifier.

Ils avaient déjà commencé, ai-je songé. J'ai failli cracher le morceau, me suis retenue juste à temps.

— Y compris Bob Jonson, a renchéri Logan.

J'avais manqué de révéler la vérité, ce qui m'a rendue nerveuse. Si jamais j'avais eu un mot de trop, si j'avais laissé entendre aux garçons que j'en savais plus que je ne voulais bien l'admettre, j'aurais trahi mon serment à Hunter. Déjà ! Ça me flanquait la frousse, au point que j'ai même cru percevoir des battements d'ailes m'envoyant un message d'avertissement.

— Tout va bien, Darina ? s'est inquiété Logan. Tu es toute blanche. Tu veux entrer t'allonger un moment ?

— Non, je préfère retourner chez moi, ai-je répondu en m'efforçant de dissimuler mes tremblements. Merci, Logan, je vais attendre ici sur la véranda.

Les mecs ont dû échanger un nouveau coup d'œil à la dérobée, car Lucas a soudain annoncé qu'il partait à la rencontre de Christian et de Matt. J'étais bonne pour un tête-à-tête intense avec Logan, alors que j'en étais encore à tenter d'oublier le bruit des ailes.

— Je ne cherche qu'à t'aider, a-t-il plaidé.

— Je sais que je peux compter sur toi, ça me suffit, ne te bile pas.

— Pourquoi m'envoies-tu bouler tout le temps ? a-t-il contré en me poussant subrepticement dans un coin. Allez, Darina, parle-moi.

— Je n'ai rien de plus à te dire, sinon que je souffre, ai-je répliqué, mal à l'aise. Tu saisis ?

Les ailes se sont tues. J'accomplissais ma mission.

— Oui. C'est bien pour ça que j'ai envie de me rendre utile. Je me répète, je sais. Tout ce que je désire, c'est briser ta carapace.

Il m'avait plaquée contre la rambarde de la véranda, je pouvais à peine respirer. Il fallait que je le force à reculer avant qu'il ne se penche et m'embrasse.

— J'ai pigé, Logan, ai-je murmuré en posant une main sur son épaule, ce qui m'a permis de découvrir qu'il tremblait presque autant que moi. Je te suis très reconnaissante.

Sur ce, j'ai déposé un petit bécot sur sa joue, je me suis glissée sous son bras et j'ai décampé de ce terrain miné. En soupirant, il s'est adossé au mur du magasin et a gardé les paupières fermées jusqu'à ce qu'on perçoive le bruit d'une voiture qui descendait la piste.

— Voici Christian, ai-je marmonné en dévalant les marches du perron.

Les trois garçons sont apparus, remorquant ma voiture. Le pare-choc avant traînait par terre.

— Il faudra que tu fasses réparer ça, m'a conseillé Lucas, assis derrière mon volant.

— Je peux quand même rentrer en ville ?

— Attends, a répondu Christian en sautant de la jeep pour tester du pied le pare-choc.

Mieux vaut carrément l'enlever, a-t-il ensuite décidé.

Pesant de tout son poids sur la pièce abîmée, il l'a arrachée.

— Mets ça dans le coffre, a-t-il lancé à Lucas.

De son côté, Matt était descendu du 4 × 4 sans un mot et avait disparu dans la boutique.

— Et voilà, tu peux y aller, a dit Christian. Je n'ai décelé aucun souci avec l'essieu avant.

— Merci, monsieur le garagiste, ai-je rigolé en essayant de détendre l'atmosphère.

Je me suis dépêchée de prendre la place de Lucas sur le siège passager avant de le remercier également.

— Tu es sûre que tu es en état de conduire ? se sont-ils tous les deux inquiétés.

En retrait, Logan avait l'air de considérer mon baiser sur sa joue comme une sorte de trahison à la Judas. Il était clair qu'il aurait souhaité plus.

— Oui, ai-je rassuré mes chevaliers servants. Merci, Logan.

Il était si blessé que j'en avais de la peine, mais qu'y pouvais-je ?

Je suis sortie de Foxton pour regagner la nationale goudronnée, j'ai dépassé la croix lumineuse qui éclairait la montagne la nuit, j'ai traversé le pan de forêt brûlée avec ses sapins aux squelettes tordus puis le faubourg de Centennial.

J'ignore comment, ce soir-là, j'ai réussi à calmer Laura.

— Oh mon Dieu ! s'est-elle exclamée. Regarde-moi ta voiture !

Le crépuscule tombait à mon arrivée, et elle était seule sur la véranda quand je me suis garée dans l'allée.

— Que s'est-il passé, Darina ? Tu n'as rien ?

— Non ! Vise un peu.

Escaladant le perron en vitesse, j'ai tourné sur moi-même. Elle m'a obligée à m'asseoir.

— Raconte.

— J'étais avec Logan et des copains, on faisait les fous. Ce brise-tout maladroit a accroché mon pare-choc. Heureusement qu'on ne roulait pas à plus de vingt kilomètres heure.

« Doucement avec la vérité, Darina. Inutile de déclencher les sonnettes d'alarme. »

— Tu es sûre que tu n'es pas blessée ? a demandé Laura, anxieuse. Rien à la nuque ? Au dos ?

— Pas une égratignure, ai-je menti en cachant mon bleu sous ma manche. Franchement, m'man, c'est juste un incident sans gravité.

Plus jeune, avant que je devienne moi-même, je ressemblais à Laura, d'après tout le monde. Mêmes longs cheveux bruns et large sourire, identique petit menton pointu et joli nez. Les mecs, ceux qui la draguaient après le départ de mon père, faisaient mine de nous prendre pour deux sœurs. À présent, j'avais une coupe plus courte et je me teignais en noir. Le mascara fumé que j'appliquais sur mes yeux me différenciait complètement d'elle.

— Et ta voiture. Qui va payer pour la réparer ? Le père de Logan n'a pas un rond, ce n'est un secret pour personne.

C'était bien Laura, ça, toujours à penser fric, fric, fric. Ce qui était plus facile à gérer cependant que si elle avait insisté sur mon état de santé.

— Je verrai ça avec Christian. Il s'y connaît, en bagnole. Si ça se trouve, il acceptera de remettre mon pare-choc gratos.

Hochant la tête, elle a allumé une cigarette.

— Tu devrais arrêter, ai-je grommelé en poussant la porte. Où est Jim ?

— Sorti.

Le bout incandescent de sa clope a troué l'obscurité naissante.

Un abîme aussi profond qu'un canyon sépare l'idée qu'ont les gens de vous de celui ou celle que vous êtes à l'intérieur. Cet abîme, on en prend particulièrement conscience quand on est au lit et qu'on fixe le plafond, parce qu'on n'arrive pas à dormir.

Ainsi, j'étais redescendue de la colline en ayant l'air de l'ancienne Darina, cool, équilibrée même si un peu à fleur de peau. Or, au plus profond de moi, j'étais larguée et terrifiée. J'avais fréquenté des revenants, nom d'un chien ! Et j'étais amoureuse de l'un d'eux. Désespérément amoureuse. D'un amour voué à l'échec.

Dans la pénombre, le plafond semblait peser sur moi, et les murs se resserrer. J'avais perdu et retrouvé Phœnix. J'avais chuté dans une fosse infinie, il m'avait rattrapée, hissée de là et prise dans ses bras. Mais ce nouvel univers était des plus bizarres. Il y avait Hunter, omnipotent, avec sa tignasse grise et ses yeux d'acier ; Arizona, toujours aussi revêche ; Summer, gentille et aimable ; Jonas, démoli et triste. Ces Revenants étaient sortis des limbes, leur cœur ne battait plus.

Allongée dans le noir, je me suis remémoré le beau visage de Phœnix.

— Je voudrais que tu m'apparaisses, ai-je chuchoté. Que tu sois là quand j'ai besoin de toi.

Il avait ce pouvoir, je le savais. Malheureusement, je n'ai perçu qu'un lointain bruissement d'ailes, aussi léger qu'une brise, pareil à un rappel.

— Bonjour, monsieur Bishop, c'est Darina, ai-je annoncé dans l'interphone.

Tôt le lendemain matin, j'étais devant la grille de la maison de Zoey.

— Darina ?

— Oui. J'avais envie de rendre une petite visite à Zoey.

La jouer décontracté. Ouais... À qui je mentais, là ? Je m'étais torturé l'esprit pour décider si je devais ou non passer un coup de fil afin de m'annoncer. Ou envoyer un texto. J'avais essayé de joindre ma copine sur son portable, mais son numéro avait changé. Et j'avais tourné cinq fois autour du quartier avant de trouver le courage de sonner.

— Un instant, m'a dit M. Bishop.

Plantée au bout de la longue allée aux pavés roses, j'ai admiré l'impressionnante baraque. Construite en brique, elle avait un porche flanqué de deux colonnes blanches, style colonial, et des balcons aux balustrades en fer forgé. Une écurie se dressait sur le côté. C'était là que Zoey avait installé ses chevaux.

Son père est apparu au volant d'une voiturette de golf. Une fois à la grille, il en est descendu, tel Tiger Woods.

— Darina, a-t-il répété, comme s'il venait juste de faire le lien entre mon prénom et mon visage.

C'était soit le gâtisme, soit une façon délibérée de mettre des distances entre nous.

— Nous ne t'avons pas vue depuis bien longtemps, a-t-il enchaîné.

— J'ai croisé Zoey par hasard, l'autre jour. C'est elle qui m'a invitée à passer.

M. Bishop a froncé les sourcils en reluquant ma vieille bagnole privée de pare-choc. Il était tout aussi rebuté par mon allure – cheveux, maquillage, fringues, tout.

— Et où l'as-tu donc croisée ?

— Dans la salle d'attente de Kim Reiss.

Il a presque montré les dents. À croire que ce nom était un mot grossier.

— Ah oui. Zoey ne sort plus beaucoup. Juste pour consulter ses chirurgiens.

« Et son psy », ai-je songé *in petto*. Mais j'ai gardé cette réflexion pour moi.

— Je lui ai promis de venir, ai-je insisté.

— Une autre fois, peut-être, a-t-il répliqué, ferme dans ses bottes.

— Dès que je le pourrais, ai-je contré.

— Elle n'est pas visible maintenant.

— Je pensais qu'un samedi serait l'idéal.

Nous avons continué notre passe d'armes à fleurets mouchetés jusqu'à ce que la mère de Zoey surgisse sur le perron. Elle nous a rejoints d'un pas leste.

— Bonjour, Darina, m'a-t-elle saluée sans chaleur, avec moins d'hostilité que son mari cependant. Zoey est à la fenêtre. Elle a entendu ta voiture.

— Donc elle sait que je suis ici. Super !

— Je suis navrée pour Phœnix, a-t-elle poursuivi après un bref sourire. J'ai appris que toi et lui sortiez ensemble.

J'ai opiné.

— J'en suis encore toute retournée, a-t-elle continué. Quatre jeunes vies gâchées !

— Cinq, est intervenu M. Bishop, amer. Cinq en comptant Zoey.

Sa femme l'a contourné et m'a ouvert la grille.

— Entre, Darina.

Ce n'est pas comme si Zoey et moi avions repris les choses là où nous les avions laissées, plus d'un an auparavant. Trop d'événements avaient eu lieu entre-temps, sans doute oubliés par d'autres, pas par nous. Notre conversation a ressemblé à une brochette d'images saccadées tirées d'une vieille vidéo, désordonnées, entrecoupées de longs silences.

Assise sur son fauteuil, elle semblait toute petite, au milieu du salon grand comme un court de tennis. Le décorateur s'était lâché sur les antiquités, surtout les tapis turcs, les lustres et l'horloge.

— Wouah ! ai-je soufflé. Je n'étais encore jamais entrée ici !

Mon interjection relevait moins de l'admiration que de la stupéfaction.

— On a un peu bougé les meubles, a expliqué Zoey, sur la défensive.

Elle savait très bien que la maison où j'habitais avec Laura et Jim valait à peine mieux qu'une caravane.

— Juste à côté, j'ai une chambre avec salle de bains attenante. Comme ça, pas d'escalier à monter. On a aussi installé une rampe à la porte-fenêtre pour que je puisse aller dans le jardin.

— Tu as envie de sortir ?

Loin du tic-tac de l'horloge et de l'engouement du décorateur pour les papiers peints à rayures rouge et or. Zoey a hoché la tête avant de rouler son fauteuil jusqu'à la fenêtre, qu'elle a déverrouillée.

— J'ai gardé les chevaux, a-t-elle dit. Pepper et Merlin. Viens voir.

N'ayant rien contre les canassons, je l'ai accompagnée à l'écurie, où je l'ai complimentée sur les deux arabes rouans qui occupaient les stalles. Elle a tiré de sa poche des petits bouts de bonbon à la menthe qu'elle a tendus aux bestiaux.

— Je sais, je les gâte. Papa voulait les vendre, je m'y suis opposée.

— Et tes perspectives de remarcher, comment ça avance ?

— Lentement. Hier, j'étais chez le kiné, j'ai réussi à faire deux pas. Alléluia !

— Pas mal.

Elle comme moi tournions autour du pot – à savoir, Jonas et l'accident.

— Deux pas, et ça m'a fait un mal de chien, a-t-elle avoué.

— J'imagine, oui.

— J'ai un nouveau rendez-vous avec Kim. Jeudi, quinze heures trente.

— Moi aussi. Seize heures trente.

— Elle me plaît vraiment.

— Oui, elle est cool.

— Pourquoi la vois-tu, déjà ?

— Laura estime que je suis devenue folle après la mort de Phœnix, ai-je expliqué avec un rire déplacé. Et toi ? C'est sans doute pour t'aider à recouvrer la mémoire ?

Zoey a haussé les épaules.

— C'est maman qui le veut. Moi, ça m'est égal. Rien ne ressuscitera Jonas.

Un frisson a parcouru mon épine dorsale quand je l'ai revu, habitant les hauts de Foxton ; quand je me suis rappelé que j'avais la boucle de son ceinturon dans la poche de mon jean.

— On ne revient jamais en arrière, a-t-elle enchaîné d'une voix lasse. Tout le monde me répète que ça n'a pas d'importance, qu'il faut regarder vers l'avenir, pas vers le passé. Sauf

Kim. Elle, soutient qu'il est vital que je me souvienne.

— Pour remplir les blancs, ai-je acquiescé avec entrain. Tu m'as dit que tu avais besoin de mon aide.

— Est-ce que tu as une idée de ce à quoi ressemble le SSPT ? Tu es en train de tricoter, tu loupes une maille, tout ton pull part en quenouille, et tu te retrouves avec un trou idiot qui ne cesse de s'agrandir.

— Ça fiche les jetons.

— Et comment ! Mon trou à moi est si grand que je pourrais tomber dedans et disparaître à jamais. Je te jure !

La fameuse chute, comme pour moi. On dégringole le long d'un puits noir, infini et lisse, sans rien pour se rattraper, sans fond non plus. Exactement ce que j'avais ressenti quand Phœnix avait disparu.

— Remonte à ce qui a précédé l'accident, ai-je conseillé à Zoey sans lui confier mes impressions. Tu te rappelles le couple que vous formiez ?

— Je l'aimais, a-t-elle soufflé, cependant que les chevaux tendaient leur cou pour réclamer de nouvelles friandises. Qui ne l'aimait pas, d'ailleurs ?

— Oui, un mec super, ai-je renchéri en évitant d'utiliser le présent ou le passé.

Zoey a marqué une pause, comme si elle s'enfonçait dans un des trous de sa mémoire. J'ai attendu qu'elle remonte à la surface.

— Il faudrait que je te remercie, sans doute, a-t-elle soupiré au bout d'un long moment.

— Pour quelle raison ?

— Pour m'avoir piqué Matt, laissant à Jonas le loisir de ramasser les morceaux.

Ah ! L'affaire Matt Fortune qui resurgissait, hideuse.

— Minute ! ai-je protesté. Je ne te l'ai pas « piqué ».

Ma version des choses, c'était qu'il avait foncé sur moi, battant un record olympique pour m'avoir. Ciao, Zoey ! Salut, Darina !

— Ben tiens !

Zoey ne m'avait pas crue, s'entêtait à douter de ma parole, persuadée que sa rupture avec Matt était le résultat de mes intrigues.

— Ça date de quand, déjà ? a-t-elle demandé.

— Presque un an et demi. Si je reconnais avoir mal géré le truc, je te promets que je ne t'ai pas volé Matt. Ce n'est pas mon type de mec.

— Laisse tomber, a-t-elle répondu, préférant visiblement abandonner le sujet. Rentrons.

Je l'ai cependant retenue par le dossier de son fauteuil, que j'ai fait pivoter dans ma direction.

— Zoey, ai-je persisté, je n'aurais jamais fait ça. Je ne m'amuse pas à briser les couples de mes copines, quoi que t'ait raconté Matt Fortune. C'est lui qui m'a draguée, à la fête de Hannah, et je l'ai envoyé bouler.

— Ce n'est pas ce que m'a raconté Hannah, a-t-elle répliqué, les larmes aux yeux. D'après elle, tu lui as carrément sauté dessus.

— D'une amie comme Hannah, voilà qui ne m'étonne pas. Tu sais quoi ? Il m'a fallu plus d'un an pour m'en remettre et accepter les avances d'un autre type. Tu vois à quel point je suis une mangeuse d'hommes !

— C'était Phœnix ? a-t-elle murmuré.

— En effet. Tu te souviens de lui ?

— Oui. Jonas l'a apprécié tout de suite. Personnellement, j'avais un peu peur de lui. Il était trop distant.

— Il n'aurait pas fait de mal à une mouche, l'ai-je défendu.

— N'empêche, ça n'a pas été le coup de foudre, entre vous deux. Lorsqu'il a débarqué à Ellerton, je t'ai entendue confier à Logan que tu le trouvais super prétentieux. Ça, tu ne t'es pas cachée pour exposer ton opinion.

— C'était de la timidité, chez lui. Ça passait pour de l'arrogance, ce que je peux comprendre. En tout cas, tu te rappelles l'arrivée des Rohr chez nous, c'est drôlement bien.

— Oui. Je me souviens que Brandon ne trouvait pas de boulot. Il traînait à la boutique de Harley que tient Charlie Fortune. Je l'ai rencontré quand Jonas y a amené sa moto à réparer.

— C'était quand ? ai-je répliqué, de plus en plus enthousiaste. Deux semaines avant l'accident ? Tu as d'autres souvenirs de ce qui s'est passé à ce moment-là ou un peu plus tard ?

— Charlie s'est occupé des freins de la bécane. Le lendemain, Jonas m'a emmenée au lac Hartmann.

— Ce n'était pas le jour de l'accident ?

— Non, c'était avant.

— Donc, la Harley fonctionnait normalement ?

Je commençais à me demander si Charlie Fortune aurait pu être responsable d'une étourderie qui aurait amené les freins de Jonas à lâcher. Zoey a secoué la tête, toutefois.

— Nous sommes allés là-bas sans difficulté. C'était une journée parfaite.

Je n'ai rien ajouté, lui donnant le temps de savourer ce qui devait désormais être son idée du paradis.

— Jonas a dit qu'il m'aimait, a-t-elle repris. Ça a été l'unique et dernière fois. Nous étions assis sur la jetée, les pieds dans l'eau. La chaleur était torride.

Pièce par pièce, le puzzle se mettait en place.

— Je ne l'ai jamais confié à personne, a-t-elle chuchoté encore. Au cas où ce ne serait pas vrai.

— Oh, ça l'était ! ai-je affirmé. Il t'aimait vraiment.

Revenant au présent, elle a levé les yeux sur moi comme si elle en attendait plus, mais j'avais déjà dépassé les bornes. Si je bavassais à tort et à travers, je risquais d'avoir droit aux ailes de Hunter.

— Il suffisait de voir comment il te regardait, ai-je balbutié, en ajoutant quelques arguments de roman à l'eau de rose pour faire bonne mesure.

— Aucune importance, a-t-elle soupiré en orientant son fauteuil vers la maison, où sa mère la guettait depuis une des portes-fenêtres. Je suis claquée, Darina, il faut que j'y aille.

— OK. Je repasserai.

« Ne t'en va pas, aurais-je cependant voulu lui crier. Nous n'avons pas encore abordé le sujet principal. »

— Merci de ta visite, m'a-t-elle lancé sans se retourner.

Zut ! Je réagissais comment, moi ? Je lui courais après pour lui beugler que j'avais vraiment besoin qu'elle se souvienne de l'accident, que je voulais l'aider à innocenter Jonas ? Si, en théorie, ça paraissait le bon réflexe, un seul coup d'œil au visage triste et blême de Zoey m'en a empêchée. De toute façon, Mme Bishop venait à sa rencontre et m'adressait un geste d'adieu, poli mais ferme.

Bref, j'ai contourné la baraque, j'ai traversé le gazon impeccable et je me suis approchée de la grille.

— Si tu permets, a lancé M. Bishop qui s'était rué hors de la maison pour appuyer sur les boutons du tableau de sécurité. J'espère que tu n'auras pas trop fatigué Zoey.

— Nous avons discuté, c'était chouette.

— T'a-t-elle annoncé qu'elle avait fait ses premiers pas ?

J'ai opiné.

— Un vrai miracle. Si tu l'avais vue à l'hôpital il y a trois mois à peine, tu n'y aurais jamais cru.

— Ce sont de bonnes nouvelles, monsieur Bishop.

Ce type ne m'appréciant pas, j'étais super polie. Moi non plus, je ne l'aimais pas, avec son polo de golf jaune et son pantalon à carreaux.

— Nous sommes pleins d'espoir, maintenant, a-t-il insisté en m'ouvrant la grille. Nous nous concentrons sur l'avenir, Darina, pas sur le passé.

Stupéfaite, j'ai remarqué Jonas qui m'attendait sous un érable, à trois cents mètres de là. Le passé ne s'efface pas simplement parce qu'on désirerait qu'il en soit ainsi. Il nous revient en pleine figure, qu'on le veuille ou non.

Chapitre 5

Quiconque aurait vu Jonas sous son arbre aurait eu le choix entre deux réactions : c'était soit un adolescent en détresse, soit un type qu'il valait mieux éviter. Bizarre ou dangereux, selon vos origines sociales. Les gens normaux n'avaient pas l'air aussi pâles et troublés.

— Alors ? m'a-t-il demandé au moment où je me rangeais en double file près de l'érable.

— J'ai parlé à Zoey.

— Comment va-t-elle ?

Ses yeux bleus profondément enfoncés dans leurs orbites me suppliaient de lui donner des informations rassurantes.

— Bien. Mieux. Elle a tout ce qu'il lui faut.

Il n'en avait pas pour autant fini avec ses questions.

— Elle va s'en tirer ? Est-ce qu'elle retournera au lycée, est-ce qu'elle pourra aller à la fac ?

— Bref, est-ce qu'elle a des séquelles cérébrales ? veux-tu dire.

Il est vrai qu'elle était restée six mois dans le coma.

— Oui, a-t-il acquiescé en détournant la tête.

Pour la première fois, j'ai distingué le petit tatouage des ailes sur le côté gauche de son cou, juste en dessous de son oreille, à moitié caché par sa tignasse blonde. Mon cœur a eu un raté, j'ai failli fondre en larmes. À la place, je me suis efforcée de le rassurer.

— Je ne suis pas une spécialiste, Jonas, mais elle ressemble à l'ancienne Zoey, sinon que de grands pans de sa mémoire manquent à l'appel.

Il a approuvé du menton.

— En quel sens, l'ancienne Zoey ?

J'ai réfléchi avant de répondre :

— Elle aime toujours ses deux bourrins comme s'ils étaient ses bébés, elle respecte beaucoup trop ses parents. Rien de bien neuf, hein ?

— Non, en effet, elle a toujours été une fille sage, a-t-il reconnu avec un mince sourire, en passant sa main dans ses cheveux avant de la laisser sur le tatouage. A-t-elle parlé de moi ?

Je me suis fait un plaisir de lui rapporter cette partie de ma conversation avec Zoey.

— Elle m'a dit qu'elle t'aimait.

Fermant les yeux, il a profondément inhalé, et une partie du fardeau sous lequel il se voûtait a semblé s'alléger.

— Elle ne me déteste pas ?

— Loin de là. Elle m'a raconté la journée que vous aviez passée au lac, quand tu lui as avoué tes sentiments. Elle l'a qualifiée de parfaite.

— Elle ne me hait pas, a-t-il répété à mi-voix.

À cet instant, une voiture m'a doublée, rompant le charme. Un coup d'œil alentour m'a ramenée à la réalité : mal garée, je risquais de gêner la circulation.

— Tu as combien de temps ? ai-je demandé à Jonas. Assez pour que j'aille me ranger correctement ?

— Non, je vais devoir filer. Hunter nous a tous convoqués à la ferme pour midi. Il craint du grabuge.

— OK, monte, alors.

Mieux valait trouver un endroit moins exposé. J'ai conduit jusqu'à un parking, hors de la ville. Personne ne nous y repérerait. C'était un point de vue sur le lac Hartmann, d'où nous pouvions admirer ses eaux scintillantes au loin. Pendant quelques minutes, mon voisin a semblé heureux de rester assis là à contempler le paysage. J'en ai profité pour l'étudier plus attentivement.

Jusqu'à l'accident, j'avais considéré Jonas Jonson comme un sale petit veinard. Pour commencer, il avait l'allure d'une star de cinéma, avec ses grands yeux bleus et ses cheveux blonds, son nez aquilin et son vaste front qui lui donnait l'air intelligent en plus d'être beau, ses lèvres que n'importe fille rêvait d'embrasser. Ensuite, il était gentil. Quand le mariage de mes parents avait pris l'eau de toutes parts – les disputes à cause d'une autre femme, mon père qui avait mis les bouts, Laura qui avait plongé dans une grosse dépression –, la plupart des copains n'avaient pas su exprimer leur sympathie. Jonas, lui, était venu me trouver et, simplement, m'avait dit : « Je sais, pour ton père. C'est nul, désolé. »

Après ça, au fil des ans, nous avions souvent discuté ensemble. Certes, pas à un degré d'intimité aussi élevé qu'avec Logan, parce que Jonas vivait à l'autre bout de la ville. Mais nous avions collaboré à l'école – il jouait de la guitare, moi aussi, même si nous étions conscients que nous ne deviendrions jamais des dieux du rock. Nous aimions figurer dans les pièces montées par le lycée et partagions un identique mépris pour *Il Duce*[1], alias le proviseur Valenti.

Puis nous avions eu seize ans, et Jonas avait acheté sa Harley, un accessoire monstrueux qui le rendait super cool. Il la pilotait sans casque, cheveux au vent, visage et bras nus halés par le soleil. Il s'éclatait sur les routes de montagne, faisait ronfler le moteur.

— Regarde ce que j'ai découvert, ai-je lancé en m'efforçant d'ignorer le tatouage en forme d'ailes. (Maintenant que je l'avais localisé, il semblait attirer mes yeux comme un aimant.) Elle était sur le sol de la grange. Je me suis dit qu'elle t'appartenait.

Je lui ai tendu la boucle de ceinturon Harley. Il s'en est emparé, a caressé du doigt la tête de mort en argent et les mots de la devise.

1. En italien dans le texte. (Toutes les notes sont du traducteur.)

— Garde-la, m'a-t-il enfin répondu en me la rendant. En souvenir de moi.

— Ne sois pas aussi triste. Nous avons progressé quant à l'énigme de l'accident. Zoey m'a révélé que Charlie Fortune avait réparé tes freins.

— C'est vrai.

— À mon avis, il faudrait chercher de ce côté-là.

— Pourquoi pas ? Mais n'oublie pas que les flics s'en seront déjà occupés. C'est même la première chose qu'ils auront vérifiée.

— Serait-il possible que le système ait fonctionné correctement durant un moment, après l'intervention de Charlie, puis qu'il ait soudain lâché ? Et que, ensuite, il se soit remis en place tout seul, et que la police n'ait donc rien remarqué ?

— Genre, un défaut par intermittence ?

— Oui.

— Tu n'auras qu'à en parler à Charlie.

Jonas est descendu de voiture pour étirer ses longues jambes. Je l'ai rejoint dehors. Nous avons contemplé le lac et la chaîne de montagnes au-delà.

— Je profite de l'occasion pour te remercier, Darina, a-t-il murmuré.

— Je t'en prie.

— Tu risques gros.

— Et j'ai beaucoup à gagner, je te rappelle.

— Un an avec Phœnix ?

Étrange... J'ai préféré zapper cette référence au délai qui m'était imparti.

— Bon, une fois que tu te seras évaporé d'ici, j'irai au garage de Fortune et je poserai des questions, histoire de déceler si Charlie a des choses à cacher.

— Sois prudente.

À l'instar des douze mois qu'il venait de mentionner, cet avertissement m'est entré par une oreille pour aussitôt ressortir par l'autre.

— Après, j'appellerai Zoey pour convenir d'une deuxième rencontre. Ces visites l'aideront à combler ses pertes de mémoire, j'en suis sûre. Très vite, elle sera en mesure de se souvenir de cette journée et des circonstances de l'accident.

— Mardi prochain, il me restera une semaine exactement avant que mon année ne touche à sa fin. Soit dix jours.

Il suivait le fil de sa pensée, moi de la mienne.

— Écoute, Jonas, je suis persuadée que Zoey détient la solution. Le tout, c'est qu'elle se rappelle.

— Je n'ai plus que dix jours, a-t-il répété.

— Et ensuite ? ai-je demandé, renonçant à mon idée pour m'intéresser à ses soucis.

Brusquement, il a eu l'air de comprendre qu'il y avait une chose importante que j'ignorais. Il a hésité, a laissé tomber.

— Repartons, a-t-il suggéré.

— Non ! Explique-moi ce qui se passera dans dix jours.

— C'est la raison pour laquelle Hunter a accepté ton coup de main, a-t-il cédé. Le temps qui m'a été donné s'épuise. C'est pareil pour tout le monde. Les Revenants ont un an pour découvrir la vérité au sujet de leur mort et obtenir justice. On ne nous accorde ni délai supplémentaire ni seconde chance.

— Et après ?

J'avais posé la question, quand bien même je redoutais la réponse. J'ai deviné que j'avais blêmi, mes jambes s'étaient mises à trembler.

— Nous cédons la place à un autre.

— La règle s'applique à vous *tous* ? ai-je soufflé.

— Sans exception. Nous n'avons pas le choix. Les zombies existent pendant un an jour pour jour, puis disparaissent. Nous quittons l'autre versant pour regagner l'au-delà. Fin de l'histoire.

En proie à un tourbillon d'émotions, j'ai traversé la ville jusqu'à l'atelier de Charlie Fortune. En cas de crise, je me dégote toujours un truc à faire et, si cela implique de conduire, je n'en suis que meilleure. Ne me demandez pas pourquoi. Le garage n'étant pas facile à localiser, j'ai été obligée de demander mon chemin. La gérante d'une boutique de nettoyage à sec a désigné une fabrique de stores dans une petite zone industrielle.

— Tournez à gauche là-bas, et vous tomberez sur la boîte de Charlie.

J'ai obtempéré et n'ai pas tardé à me retrouver devant une vitrine où trônait un modèle Softail étincelant, sorte de géant métallique tout en pots d'échappement argentés et guidon surélevé. Six ou sept bécanes étaient garées devant le bâtiment, et deux mecs en combinaison de motard étaient appuyés contre le mur. Ils nous ont toisées d'un air dur, moi et ma bagnole délabrée.

Respirant un grand coup, je les ai ignorés pour gagner une porte latérale qui ouvrait sur un hangar haut de plafond, bourré de pneus et de pièces détachées. Dans un coin avait été aménagé un bureau exigu, avec aux murs les calendriers d'usage et un tableau d'affichage sur lequel étaient punaisés des reçus et des listes. Le frère de Matt Fortune était assis derrière la table de travail. Il s'entretenait avec un type, version plus âgée de Jonas, que j'ai aussitôt identifié comme Bob Jonson. Charlie a fait comme s'il ne m'avait pas vue.

— Comment t'es-tu débrouillé pour bousiller la Dyna ? a-t-il demandé au père de Jonas. Où diable as-tu traîné ?

— Mieux vaut que tu ne saches pas, a répondu l'autre, penaud.

— Tu l'as depuis combien de temps ? Trois mois ?

— Trois et demi. Elle m'a coûté toutes mes économies.

— Et tu la maltraites ! Ces beautés méritent le respect.

Se levant, Charlie est sorti du bureau pour examiner les éraflures et les bosses qui déformaient les pots d'échappement de la moto de Bob.

Ce dernier l'a suivi, m'adressant à peine un signe de tête au passage.

— J'ai tapé alors que j'étais dans un chemin de terre, s'est-il justifié. Nous étions au-dessus de Foxton, du côté de Government Bridge. J'ai eu des petits soucis.

— Encore ? a répliqué Charlie en s'accroupissant près de l'engin. Qu'est-ce que toi et tes copains vous cherchez là-haut, hein ?

— Rien. On chasse, c'est tout.

Bob l'a bouclée et a attendu, nerveux, pendant que le spécialiste tripotait des bidules et des machins.

— Ce n'est pas ce que j'ai entendu dire, a-t-il riposté en se redressant. Plutôt que vous traîniez là-bas à cause des rumeurs qui courent en ville sur des gars qui squatteraient vers la crête de Foxton.

— Et alors ?

— Alors, tu te fourres dans les ennuis sans préciser lesquels, puis tu te ramènes ici avec l'air du gonze qui aurait vu quelque chose qui ne lui a pas plu. Tu me suis ?

Bob a croisé les bras sur son torse.

— Vas-y, continue, Charlie. Je suis tout ouïe.

— Ces squatteurs n'existent pas. Ce qui est arrivé aux mômes, y compris à ton fiston, ça a flanqué une sacrée frousse à tout le monde. Je n'ai qu'à causer avec Matt pour savoir quelles proportions ça a pris.

C'est là que j'ai décidé d'intervenir. Que ça leur plaise ou non, ces machos allaient devoir m'inclure dans leur conversation.

— J'ai croisé Matt à Foxton, hier soir, ai-je lancé. Il y pêchait avec Christian Oldman et deux potes.

— Bon Dieu de bois ! a grondé Charlie. Je lui avais pourtant conseillé de rester à distance.

Il s'est emparé de son portable. Avant d'appeler son frère, il s'est tourné vers Bob.

— Foxton est synonyme d'embrouilles, n'est-ce pas ?

— Quelque chose n'est pas net, a confessé l'autre. Ce n'est pas normal que tout un tas de types, des mecs ordinaires comme moi, qui ne font rien de mal, ressentent tous la même chose quand ils sont là-bas.

— Quoi donc ?

— Des trucs bizarres. Il y a une espèce de bourrasque, comme si une tempête menaçait alors que tu n'aperçois pas un nuage dans le ciel. Pour moi, ça a ressemblé à une énorme bande d'oiseaux qui essayaient de m'empêcher d'avancer à grands coups d'ailes.

— Des ailes ? a répété Charlie, incrédule.

Paralysée, incapable d'arrêter cette discussion, je m'attendais presque à ce que des têtes de mort se matérialisent juste devant moi.

— Je sais, a plaidé Bob, ça paraît dingue, des volatiles invisibles qui t'éloignent de quelque part. Sauf que j'ai aussi vu des choses, je te jure. Je roulais sur une piste quand, soudain, une bonne femme avec un bébé dans les bras a surgi comme de nulle part.

— Seule ?

— Ouais. C'est là que ça s'est gâté. Des ombres sont apparues, se sont rapprochées, et le vent provoqué par les ailes a recommencé. J'ai eu l'impression que des visages se rassemblaient autour de moi. J'ai décampé comme un dératé, crois-moi !

J'ai dégluti. J'aurais bien aimé mettre un terme à la confession précipitée de Bob, sinon que j'ignorais comment m'y prendre. Heureusement, Charlie s'en est chargé à ma place.

— Eh bien, mec, tu devrais consulter. Va raconter à un psy que tu as perdu ton fils. Je suis désolé, Bob, mais je vois ça comme ça, moi.

L'autre a secoué la tête.

— Je ne suis pas le seul à qui c'est arrivé. Quand on s'est retrouvés en ville, tous les gars avaient la même histoire. Des ombres, des visages, la totale. On veut une explication, et on ne renoncera pas tant qu'on ne l'aura pas. On est quatre à avoir décidé de retourner là-bas aujourd'hui.

Charlie a accueilli la nouvelle avec un haussement d'épaules puis a composé le numéro de son frangin.

— Rends-moi service, a-t-il marmonné à son client en attendant que Matt décroche. La prochaine fois que tu iras à Foxton, épargne la Harley et prends ta vieille Kawasaki.

— Salut, Darina ! Tu t'es baignée, récemment ?

Exactement ce dont j'avais besoin ! Brandon Rohr s'était joint aux deux motards qui faisaient le pied de grue devant le garage de Charlie Fortune. Il m'a hélée alors que je regagnais ma voiture, puis je l'ai entendu raconter en rigolant aux deux autres comment j'avais failli me noyer, sans omettre un détail de mon ridicule. Les crétins s'en sont payé une bonne tranche, puis ils ont enfourché leurs bécanes et ont filé à grands coups d'accélérateur.

— Qu'est-il arrivé à ta caisse ? m'a demandé Brandon.

— Le pare-choc s'est détaché. C'est grave ?

— Charlie ne s'occupe pas de voitures, juste de motos.

— Oui, je viens de le découvrir.

« Casse-toi ! Fiche-moi la paix. » Il fallait que j'avertisse Phœnix de ce que j'avais appris de la bouche de Bob Jonson.

— Bon, tu m'expliques ? a insisté Brandon. Qui as-tu tamponné ?

— Logan Lavelle, si tu veux tout savoir. Un camarade de classe. Rien de sérieux, donc.

Malgré mon calme apparent, je brûlais d'envie de me sauver. Lentement, il a contourné le véhicule, a donné un coup de pied à l'endroit où aurait dû être fixé le pare-choc.

— Cette épave tombe en ruine, a-t-il commenté.

— Ne m'en parle pas.

Sautant derrière le volant, j'ai mis le contact. Brandon n'a pas bronché, m'empêchant de partir.

— Phœnix n'aimait pas que tu conduises ce tas de boue. D'après lui, tu aurais eu bien besoin d'une nouvelle bagnole.

Je me suis mordu la lèvre, étonnée que Phœnix m'ait un jour mentionnée devant son aîné, encore plus surprise que ce dernier se souvienne de leur conversation.

— Il n'avait pas tort, a enchaîné Brandon.

— Quand je gagnerai au Loto, ai-je répliqué en passant la première. Pour l'instant, je me contente de ce que j'ai ou je marche.

Le plus urgent, néanmoins, était que je déniche mon petit ami avant que Bob Jonson et ses copains ne partent en chasse.

— Il faut que j'y aille, Brandon. Écarte-toi, s'il te plaît.

— Tu es pressée ? a-t-il répondu en se penchant par la vitre du siège passager. Et si tu essayais de conduire moins vite, hein ? Comme ça, tu n'aurais pas d'accident.

— Merci pour tes conseils en matière de prévention routière. Et maintenant, je dois vraiment filer.

Les coins de sa bouche se sont affaissés, l'un plus que l'autre, d'ailleurs, une moue qui m'a évoqué son frère.

— Et si tu me laissais te dégoter une nouvelle voiture ? J'ai des relations.

— Un, je n'ai pas d'argent, ai-je grondé en tambourinant sur le volant. Deux, je n'ai pas de boulot qui me permettrait de rembourser un crédit. Trois, mes parents n'ont pas les moyens de m'aider.

— Qui parle de payer ? Je connais des gens qui ont bien trop de caisses dans leur garage. Ça les encombre.

— Inutile de te mettre en quatre pour moi ! ai-je rapidement protesté.

Rien qu'à penser à ce qui le motivait, j'en ai eu des frissons.

— Pourquoi ?

— Parce que.

— Même si Phœnix en personne me l'avait demandé ?

Il a attendu que mon visage trahisse mon choc, puis s'est relevé et a abattu sa paume sur mon toit à trois reprises.

— Ciao, Darina ! Sois prudente sur la route !

Ce n'est qu'à un feu rouge dans Centennial que je me suis souvenue qu'il y avait plus d'un chemin pour aller à Foxton. J'ai donc décidé de ne pas prendre la nationale. Il était vital que j'atteigne la crête sans que Logan et ses copains de pêche m'aperçoivent. Sans tomber sur Bob Jonson et sa bande non plus. Si j'empruntais la route de derrière, j'éviterais tout ce monde et je risquais même d'être à destination plus vite.

Bref, j'ai bifurqué à gauche, m'engageant dans une voie étroite. Je suis passée tout près de la croix de néon, au-dessus du col de Turkey Shoot et du virage où Jonas et Zoey avaient eu leur accident. Le chemin sinuait entre des pans de roche abrupts et noirs, sans que je sois exposée à de vrais dangers cependant. J'ai ainsi grimpé dans la montagne, éclairée par la lumière rose du soleil déclinant.

Au sommet, j'ai croisé une jeep garée sous des séquoias. Deux hommes en chemise à carreaux buvaient des bières. Des fusils étaient appuyés à l'arrière de leur véhicule.

— Hé ! m'a hélée un barbu en m'indiquant de ralentir. Vous n'auriez pas aperçu des traces de wapiti, par hasard ?

J'ai secoué la tête. Un coup d'œil à leur plaque d'immatriculation m'a rassurée. Ils n'étaient pas d'ici. Avec un peu de chance, ils ignoraient tout des embrouilles à la crête de Foxton.

— Et des cerfs ?

— Oui, des tas, du côté de Turkey Shoot, ai-je répondu en souriant, ravie de les expédier à l'endroit que je venais de traverser.

— Combien ?

— Dix, onze peut-être. Dans un pré, derrière le col.

Un beau mensonge. Je n'avais rien vu du tout. Mais je préférais les cerfs à queue noire avec leurs grands yeux et leur grâce aux péquenots ventrus armés de flingues. Quoi qu'il en soit, ils m'ont remerciée, ont vidé leur bière, ont balancé leurs cannettes par terre, ont jeté leurs fusils dans le 4 × 4 et ont filé. Satisfaite, j'ai poursuivi ma route sans croiser âme qui vive jusqu'à ce que j'atteigne le bout du chemin.

Et maintenant ? Je ne m'étais encore jamais aventurée aussi loin sur cette piste. Il fallait que je descende de voiture afin de m'orienter. De ce point de vue, je distinguais la rivière qui serpentait dans la vallée, de même que les cabanes des pêcheurs. Plus loin, j'ai aperçu les maisons qui marquaient le croisement. Juste en face de moi s'élevait la saillie rocheuse que m'avait montrée Phœnix et dont il avait dit qu'elle s'appelait le rocher de l'Ange.

Je n'étais plus très loin, mais pas proche non plus. Pour rallier la ferme de Hunter, j'allais devoir longer la crête et gagner la grange par le côté opposé à celui par lequel j'étais arrivée jusqu'alors. Une balade d'une trentaine de minutes, grosso modo. Mais bon, personne ne me repérerait. Je serais là-bas avant la nuit, à temps pour avertir les Revenants.

Me guidant au repère du rocher de l'Ange, je suis donc partie d'un bon pas, vers l'ouest, au milieu des yuccas et des pieds de sauge. Mes pieds crissaient sur le sol clair pierreux. Je n'ai pas tardé à transpirer. Retirant ma veste, je l'ai nouée autour de mes hanches, heureuse qu'une brise souffle, en provenance du lointain pic d'Amos.

Un quart d'heure s'est écoulé. Le rocher de l'Ange se découpait, noir sur fond de ciel rouge. Je me suis octroyé une pause afin d'essuyer mes joues du revers de la main, espérant apercevoir Phœnix, préparant mon discours. « Nouveaux soucis à l'horizon. Les gars de la ville ne renoncent pas. Tenez-vous prêts. » Les Revenants seraient contents de me voir. Je leur prouverais que je méritais leur confiance.

Malheureusement, au fur et à mesure que j'avançais, le vent s'est levé, me ralentissant, faisant voler mon corsage, tirant sur ma veste.

La poussière giflait mon visage. J'ai redoublé d'efforts. Puis, au moment où j'atteignais le rocher de l'Ange, les bourrasques ont forci, plus bruyantes et féroces, porteuses des ailes bruissantes qui m'ont forcée à m'accroupir à l'ombre de la saillie.

— Stop ! ai-je hurlé. Laissez-moi venir ! Je suis ici pour aider !

Mais les ailes ont noyé ma voix, se transformant en un ouragan suffocant qui m'a jetée au sol. Allongée, la tête sur le côté, j'ai observé le soleil qui s'enfonçait derrière la ligne d'horizon, cédant la place à l'obscurité, qui a englouti les lieux comme une couverture. La peur m'a envahie ; pourtant, je n'ai pas tourné les talons, je ne me suis pas enfuie. « Tiens bon, me suis-je exhortée. Tu connais ça, les ailes, le champ magnétique qui te repousse. Cette fois, tu sais à quoi tu as affaire. »

Me relevant, j'ai repris ma route vers la vallée en titubant, sans plus d'espoir de trouver un nouveau point de repère, pas dans l'ombre ténébreuse des collines. J'ai glissé, me suis rattrapée aux branches des arbustes, cogné le tibia contre un tronc abattu. Le souffle court, je n'ai pas renoncé cependant.

Mon cœur cognait dans ma poitrine, à présent, le tourbillon des ailes m'assaillait plus que jamais, j'étais hors d'haleine, effrayée, presque vaincue.

— Pourquoi m'infligez-vous ça ? ai-je crié en me réfugiant derrière un gros rocher.

Sentant un mouvement au-dessus de moi, j'ai regardé en l'air pour découvrir un crâne aux orbites vides et noires, au sourire béant, qui fonçait droit sur moi. D'autres ont suivi, jusqu'à ce que, mains sur la tête, je me mette à hurler, comme la première fois.

Soudain, une poigne puissante m'a relevée. Je me suis débattue à coups de pied, me suis sauvée dans l'obscurité. J'ai entendu qu'on me poursuivait. Rapidement rattrapée, je me suis de nouveau retrouvée prisonnière d'une étreinte de fer.

— Ça suffit ! ai-je braillé.

Me retournant, je me suis rendu compte que j'étais retenue par la mère du bébé – une des femmes de la bande de Hunter.

— Arrêtez ! ai-je haleté. Vous savez qui je suis.

Agrippant mon bras, elle m'a ramenée de force en arrière, vers la crête. Ses propres cheveux volaient dans tous les sens, ses traits étaient invisibles dans le noir. Les ailes battaient plus que jamais, les têtes de mort voltigeaient alentour. J'ai continué à lutter en criant, terrorisée à l'idée de ne pas arriver jusqu'à Phœnix et de subir le châtiment ultime – l'effacement de ma mémoire.

— Je vous en prie ! Il faut que je parle à Phœnix. Il vous expliquera.

Prononcer ce prénom a eu un effet magique. La femme m'a brusquement lâchée et a reculé d'un pas. Je me suis affalée par terre. Lorsque j'ai eu le courage de redresser la tête, j'ai vu Phœnix qui me contemplait.

— Ça va aller, Darina, m'a-t-il réconfortée en me prenant doucement dans ses bras. Je suis là. Viens, prends ton temps.

Il a fait taire les ailes, a renvoyé la femme zombie et les crânes avant de m'entraîner au bas de la combe, cependant que mon cœur sautait de joie à le revoir.

— Hunter a déclenché le plan d'alerte maximal dès le coucher du soleil, s'est-il excusé. Ève était postée ici afin de protéger la frontière est de notre territoire.

— Les types de la ville ont l'intention de revenir ! ai-je haleté entre deux sanglots.

J'ai été soulagée d'apercevoir la douce lueur jaune d'une lampe. Nous approchions de la ferme.

— Attends que nous soyons à l'intérieur pour en parler.

Malgré l'obscurité, il m'a conduite sans peine jusqu'à la vieille maison.

— Qui ? a-t-il demandé, la porte aussitôt refermée derrière nous.

— Le père de Jonas et quelques autres. Ils ne renonceront pas tant qu'ils n'auront pas découvert ce qui se trame ici.

Il a hoché la tête.

— Hunter se doutait qu'ils resurgiraient. D'où notre surveillance étroite. Combien sont-ils ?

— Je ne sais pas exactement, ai-je répondu en remontant le bas de mon jean pour découvrir une égratignure ensanglantée là où j'avais heurté le tronc d'arbre. Quatre ou cinq. Pas autant qu'hier, en tout cas. Pourquoi Ève a-t-elle envoyé les ailes contre moi ?

Phœnix m'a fait asseoir sur le rocking-chair décati avant d'aller à l'évier chercher une bassine d'eau froide et un torchon propre.

— Nous avons organisé notre ligne de défense de façon que personne ne puisse la renverser. Ève a entendu une voiture au loin, alors elle a automatiquement mis en place la barrière. Désolé que tu te sois blessée.

— Ce n'est rien.

J'ai grimacé quand il a tamponné l'éraflure. La peau à peine nettoyée, de nouveaux points rouges sont apparus, se sont regroupés et ont lentement coulé le long de ma cheville. Grimaçant de nouveau, j'ai inspecté la pièce déserte.

— Où sont les autres ?

— Sur le périmètre, à monter la garde. Appuie fort avec la serviette. Ça arrêtera les saignements.

— Et toi ? Où vas-tu ?

— Nulle part. Il faut que je discute avec Jonas. Attends-moi.

Je l'ai regardé s'approcher de la fenêtre, paupières à demi baissées, l'air très concentré.

— Jonas ? C'est Phœnix. Ça roule, mec ?

— Bien.

La réponse avait résonné avec autant de limpidité que si Jonas s'était tenu à nos côtés. Ahurie, j'ai tourné la tête dans tous les sens.

— Où es-tu ?

— Là-haut, près du réservoir. Et toi ?

— Dans la maison.

— Qui est avec toi ? Je perçois une présence.

— Darina. C'est d'ailleurs pour ça que je te contacte. D'après elle, ton père et un groupe de mecs ont l'intention de rappliquer dans le coin. Tu as remarqué quelque chose ?

— Négatif, a affirmé Jonas, avant d'ajouter, apparemment anxieux : Et Darina ? Elle va bien ?

— Oui. Ève ne l'a pas reconnue, dans le noir. Elle ne l'a pas épargnée. Écoute, vieux, il faut que tu avertisses Hunter de ce qui va se produire, avec ton père et ses potes. Ils monteront de Foxton, alors préparez-vous à les accueillir.

— T'inquiète, je m'en occupe.

— Et si tu tombes sur ton paternel, écarte-toi, que les autres s'en chargent.

— C'est ça, ouais. Merci, Phœnix. À plus.

La voix de Jonas avait commencé à faiblir. Soulagé, Phœnix s'est éloigné de la fenêtre.

— À plus, mec, a-t-il murmuré.

— Comment faites-vous ça ? me suis-je exclamée, à la fois effrayée et ébahie.

— Quoi donc ?

— Communiquer à plus d'un kilomètre de distance avec un interlocuteur qui a l'air d'être juste à côté ?

Phœnix a souri.

— Je te rappelle que nous percevons absolument tout.

— D'accord, mais pourquoi l'ai-je entendu moi aussi ?

— J'ai monté le volume pour toi, comme sur un téléphone avec haut-parleur. Il n'aurait pas été très poli de te laisser en dehors de la conversation.

— Et c'est tout ? ai-je rigolé en me détendant. Tu imagines à quel point c'est bizarre pour moi, hein ?

Son sourire s'est accentué, et il m'a tirée de ma chaise, me déposant sur le parquet où, face à face, assis en tailleur, nous avons échangé des baisers.

— Qui t'a dit que Bob et sa bande comptaient réessayer ?

— Lui-même. J'étais à l'atelier de Charlie Fortune pour tenter d'en apprendre plus au sujet de l'accident de Jonas. Bob était là-bas. Il exposait son plan à Charlie. Ça m'a déstabilisée, si bien que je n'ai pas eu l'occasion de cuisiner ce dernier à propos des réparations qu'il avait effectuées sur la bécane de Jonas. À la place, j'ai filé ici. Au passage, j'ai dû me débarrasser de ton frangin. Comme toujours, il s'est débrouillé pour me retenir.

— Tu lui as parlé ? a sursauté Phœnix en inclinant la tête, le regard torve.

— Te bile pas. Il a été très sympa. Il l'est depuis l'enterrement, d'ailleurs.

Sur ce, j'ai raconté à Phœnix ma chute dans la rivière et mon sauvetage par Brandon.

— Figure-toi que, maintenant, il s'est mis dans la tronche de me trouver une nouvelle voiture, ai-je précisé.

Lentement, mon chéri a opiné.

— Ça ne te dérange pas ? ai-je repris. En me rendant service, Brandon doit vouloir respecter tes dernières volontés.

— Il a mentionné ça ? s'est étonné Phœnix, mal à l'aise.

— Oui. D'après lui, avant de perdre conscience, tu l'aurais supplié de s'occuper de moi.

— Je ne me souviens pas, a-t-il marmonné avant de s'emparer de mes mains. Mais c'est bien. Tu as besoin de quelqu'un, et Brandon ne s'en laisse pas conter. Qu'il te déniche une bagnole.

— Ça, ça m'est complètement égal.

Tendrement, j'ai caressé les poignets de Phœnix, puis j'ai fait courir mes paumes sur ses bras, les courbes de ses biceps, ses épaules.

— Ce ne serait pas chouette de vivre ici, dans cette ferme, juste toi et moi ? ai-je soufflé.

— Ben tiens ! En se chauffant au feu de bois et en s'éclairant à la lampe à pétrole ? Un peu tarte, non ?

Il a fermé les yeux et souri, puis a posé sa joue contre la mienne, nos deux peaux frémissant à l'unisson.

— On puiserait de l'eau dans la rivière, tu couperais du bois pendant que je ferais cuire le pain, comme à la belle époque de Hunter.

Très tarte, en effet, mais une fille du XXIe siècle a le droit de rêver.

— Dis donc, Hunter était-il marié avant... avant d'être descendu ?

Je me suis redressée, guettant la réponse.

— Oui. C'est même pour ça qu'on l'a tué. Il vivait ici avec sa femme, Marie. Ils ont passé six hivers dans cette ferme, la construisant, élevant des bêtes. Puis un voisin de Foxton a commencé à causer du remue-ménage. Un mec appelé Peter Mentone. Il est monté rendre visite à Marie un jour où Hunter était absent. Le salopard n'avait qu'une idée en tête.

— Inutile de développer, j'ai pigé.

Des images de Laura surprenant mon père en compagnie de Karli Hamilton m'ont traversé l'esprit. Les cris, les pleurs, la colère pure et dure, le sexe à la sauvette, minable, la douleur.

— À en croire Hunter, Marie n'était pas intéressée par Mentone. Elle se débattait quand Hunter est rentré à l'improviste. Il est devenu dingue et s'est jeté sur Mentone à mains nues. Sauf que l'autre avait un fusil.

Secouant le menton, j'ai frissonné.

— Bref, maintenant, je suis obligée d'avoir de la peine pour Hunter, ai-je soupiré. Qui l'aurait cru, hein ?

— Approche, a chuchoté Phœnix en m'enlaçant, et les frémissements de ma peau se sont transformés en une vague de désir. Alors, ça serait comment si toi et moi vivions ensemble, vingt-quatre heures sur vingt-quatre, sept jours sur sept, jusqu'à la fin des temps ?

— Ça serait le paradis.

Le « jusqu'à la fin des temps » a paru résonner dans la salle. Mon aimé m'a embrassée, et je me suis fondue en lui, me régalant de notre intimité, mes doigts posés contre ses joues fraîches, mon corps serein dans la sécurité de ses bras.

— J'ai une question, ai-je ensuite chuchoté, ma bouche tout près de ses lèvres. Jonas m'a dit que les Revenants ne pouvaient pas rester ici indéfiniment. Est-ce vrai ?

Phœnix n'a pas bougé, mais je l'ai senti se raidir.

— Ne m'oblige pas à répondre à ça, Darina.

— Un an, a-t-il stipulé.

Phœnix était si proche de moi que ses prunelles en devenaient floues. Ses cils noirs se sont posés sur ses cernes quand il a fermé les paupières. « Mieux vaut en être sûre maintenant que de ne pas savoir », m'a soufflé une petite voix masochiste, à l'intérieur de mon crâne.

— Alors, c'est vrai ?

— Douze mois complets, a-t-il murmuré en rouvrant les yeux. C'est un long délai.

Les larmes ont jailli, roulant sur mes joues.

— Pas assez long, ai-je gémi. Un an, ce n'est pas la fin des temps.

Chapitre 6

Hunter avait pensé que les motards arriveraient par le chemin habituel. Par conséquent, il avait posté la plupart de ses guetteurs sur la colline du réservoir, ne laissant la charge de surveiller l'est du territoire qu'à Ève et Phœnix. À présent, ce dernier était avec moi dans la maison, si bien qu'Ève était seule près du rocher de l'Ange quand Bob Jonson et sa troupe lui sont tombés dessus sans crier gare. Ayant repéré le bruit des motos, Phœnix a immédiatement signalé à Summer et à Hunter de se rendre là-bas.

— Ces types sont arrivés par les champs et les bois, a-t-il précisé. Ève en retient quelques-uns, mais pas tous.

Même moi, j'entendais les moteurs, maintenant. Et je distinguais les faisceaux lumineux des phares qui transperçaient les collines.

— Tu restes ici avec moi ? ai-je demandé à Phœnix.

— Oui. Nous ne pouvons courir le risque que quelqu'un te découvre. Éteins les lampes, et montons à l'étage.

Nous nous sommes donc faufilés dans l'unique chambre à coucher, celle que Hunter avait partagée avec sa femme, Marie. Après avoir tiré les rideaux, nous nous sommes plaqués au mur, main dans la main, hors de vue. Dehors, les alentours étaient sous les feux entrecroisés des phares. Je me suis représenté les Revenants repoussant les motards, les rendant fous à l'aide des ailes bruissantes et des têtes de mort, les renvoyant dans la vallée.

— On tient le coup, m'a annoncé Phœnix, branché sur des messages qui ne me parvenaient pas. Hunter et Summer ont rejoint Ève. Deux des intrus ont déjà fait demi-tour.

J'ai acquiescé. Le calme que je ressentais en sa compagnie m'étonnait, comme s'il était mon bouclier magique, impénétrable.

— L'un d'eux résiste, cependant, a poursuivi mon amoureux, attentif. Ils ignorent de qui il s'agit. C'est la nuit, et il porte un casque. Ils n'ont encore jamais vu la moto qu'il conduit.

Le gémissement d'un moteur qui escaladait une côte a volé jusqu'à moi. Le pilote a ensuite bifurqué au niveau du réservoir, prenant la direction de la maison à toute vitesse, la lumière de son phare rebondissant au gré des cahots du sol.

— Il a réussi à percer la défense d'Ève, a murmuré Phœnix en me lâchant pour jeter un coup d'œil à travers les rideaux.

L'engin était tout près, maintenant, zigzaguant entre les rochers, assez proche pour qu'on distingue la silhouette sombre de celui qui la chevauchait, de même que la visière de son casque.

— Baisse-toi ! m'a ordonné Phœnix. Et ne bouge pas !

Il a foncé à travers la chambre et a dévalé l'escalier. Rampant à la fenêtre, j'ai épié la suite des événements. Phœnix a jailli de la maison juste au moment où le motard freinait et laissait tomber sa bécane par terre. Il a arraché son casque, et je l'ai reconnu sous le clair de lune. C'était le père de Jonas. Phœnix a pris soin de rester dans l'ombre de la ferme, anxieux, guettant le prochain geste de Bob Jonson. Ce dernier a balancé son casque sur le côté. Il avait senti la présence de quelqu'un sur la véranda, mais comme il ne pouvait pas voir de qui il s'agissait, il restait sur place, jambes écartées, tel un tireur à l'affût.

— Sors de là ou je viens de chercher ! a-t-il lancé. À toi de choisir.

J'ai retenu ma respiration, curieuse de la réaction de Phœnix. Intriguée aussi par le désespoir qui devait avoir poussé Bob Jonson à ignorer les avertissements surnaturels que lui avaient envoyés les Revenants et à poursuivre la mission que ses copains n'avaient pas eu le cran de remplir.

— OK, j'arrive ! a-t-il plastronné en avançant d'un pas vers les ombres.

Lorsque Phœnix s'est montré, j'ai compris que c'était pour me protéger. Pas question que l'autre me trouve dans les parages. Il est apparu sous la lune, face à l'intrus. Pendant quelques secondes, il ne s'est rien produit. Le cerveau de Bob Jonson analysait ce qu'il venait de découvrir. Un jeune brun au visage blanc dénué d'expression. Puis la mine soupçonneuse et colérique du père de Jonas a changé. Les plissements de son front se sont accentués, sa bouche s'est tordue tandis qu'il respirait un bon coup, et il a marmotté :

— Phœnix !

Ce dernier a cillé. Il a déclenché une furie d'ailes qui a soulevé la poussière de la cour et contraint le motard à se cacher les yeux. « Allez-vous-en, Bob ! ai-je prié en silence. Fichez le camp d'ici ! »

— On raconte que tu es mort, a grondé Jonson d'une voix sourde. Mort et enterré.

Phœnix n'a pas répondu, tous ses pouvoirs concentrés pour tenter de faire reculer l'intrus. Sans plus de résultat qu'Ève n'en avait obtenu au rocher de l'Ange. J'ai alors deviné que l'homme se moquait de vivre ou de mourir. Il avait dépassé ce stade.

— Qu'est-ce que c'est que ces fichues histoires ? a-t-il continué en se rapprochant encore. Si tu es vivant, mon fils Jonas l'est peut-être aussi ?

« Parle-lui, Phœnix ! Envoie-le sur une mauvaise piste ! » ai-je songé en tirant les rideaux pour mieux voir. Malheureusement, Bob Jonson a repéré le mouvement du coin de l'œil. Levant la tête, il m'a aussitôt reconnue.

— Descends un peu par ici, Darina ! a-t-il braillé.

J'ai plongé sur le sol, le cœur au bord des lèvres. J'ai entendu mon prénom, crié à plusieurs reprises, puis un bruit de bagarre.

— Recule ! J'ai un flingue !

Silence. Pétrifiée, j'ai tendu l'oreille. Des bruits de pas ont résonné sur la véranda en bois, suivis d'un coup sourd, comme si Jonson écartait brutalement Phœnix. C'en était trop. Sortant de ma cachette, j'ai foncé en bas, à temps pour découvrir mon petit ami en train de lutter pour repousser Jonson dehors, et son adversaire agiter un petit pistolet sous son nez.

— Je te jure que je n'hésiterai pas à tirer ! a-t-il crié, menaçant.

— Recule, Darina ! m'a ordonné Phœnix.

Se ruant sur l'autre, il a tenté de lui arracher son arme. Tous deux sont tombés, envoyant valser le rocking-chair contre la vieille cuisinière. Jonson a appuyé sur la détente, provoquant un petit son sec, pas la pétarade à laquelle je m'étais attendue. Que croyez-vous que cette cinglée de Darina a alors fait ? Elle s'est précipitée vers le type armé pour tenter d'aider son petit copain qui était déjà mort.

Oui, je sais...

Un second coup de feu a retenti avant que Phœnix ne réussisse à s'emparer du pistolet et me le tende pour ensuite clouer au sol Bob Jonson. Mes mains tremblantes ont serré l'acier froid et pointé le canon contre la tête du père de Jonas. Celui-ci a levé les yeux vers moi, très calme.

— Levez-vous et pas un geste ! lui a dit Phœnix en tirant sur les pans de sa veste en mouton retourné.

De mon côté, je continuais à le viser, toujours aussi secouée, me demandant vaguement ce que j'étais en train de fabriquer, moi qui n'avais encore jamais tenu d'arme.

— Ne regardez pas Darina, a poursuivi mon aimé. Regardez-moi. Vous m'écoutez ? Oubliez Darina !

Jonson tentait de jauger ma résolution, d'estimer si je tirerais ou non.

— Voici ce qui va suivre, a enchaîné Phœnix en catapultant son prisonnier en direction de la porte. (Dehors, la poussière tourbillonnait encore sous l'effet de millions d'ailes qui battaient follement.) Vous allez ramasser votre moto et vous allez déguerpir d'ici.

— Pas question, a objecté l'autre. J'ai besoin de réponses. Explique-moi ce qui se passe. Où est mon garçon ?

— Vous allez déguerpir d'ici sans vous retourner, a solennellement répété Phœnix. À présent, je vais devoir faire quelque chose d'assez désagréable, Bob. Vous aurez l'impression d'avoir reçu un coup de matraque sur le crâne.

— Ne me touche pas !

Jonson a recommencé à lutter, indifférent à l'arme que je braquais sur lui. Il suffisait que j'appuie sur la détente... « Aie confiance en moi, Darina. » La voix de Phœnix a envahi mon cerveau, bien qu'il n'ait ni ouvert la bouche ni émis le moindre son.

— Je vais agir maintenant, a-t-il ensuite repris à voix haute. Je vais effacer de votre mémoire ce dont vous venez d'être témoin. L'éradiquer. Vous aurez mal à la tête, certes, mais vous aurez tout oublié.

— C'est quoi, ces âneries ? a piaillé le père de Jonas en cédant à la panique. Tout ça, c'est de la folie pure !

Mais Phœnix était beaucoup plus fort que lui. Il l'a obligé à sortir dans la cour, à s'agenouiller dans la poussière et les hautes herbes, juste à côté du camion déglingué. Jonson a tenté de se redresser, tapi comme s'il s'apprêtait à assaillir mon petit ami, quand celui-ci s'est concentré et a déclenché son arme de zombie. L'attaque hypnotique sur la mémoire de Bob l'a expédié à terre, où il s'est tordu de souffrance, essayant d'échapper à son agresseur qui n'avait même pas levé un doigt. Une seconde fois, puis les ailes ont battu de toutes leurs forces, enfouissant la moto, l'épave rouillée et nous sous un épais nuage de poussière blanche.

Après que Bob Jonson eut remis son casque et démarré pour s'éloigner, Phœnix a gentiment dénoué mes doigts crispés autour du pistolet, qu'il a glissé dans sa poche avant de m'étreindre. C'est ainsi, à la belle étoile, que nous avons attendu que les choses reviennent à la normale.

— Hunter ne va pas tarder, a murmuré mon amoureux. Le père de Jonas était le dernier. Tous les autres ont décampé.

— Bon sang, Phœnix ! ai-je gémi. Qu'est-ce qui m'arrive ?

Je n'en revenais pas d'avoir tenu un homme en joue et songé à appuyer sur la détente.

— Tu t'es affolée quand tu as su qu'il était armé, m'a-t-il calmée.

— J'ai été idiote de me montrer. J'ai aggravé la situation.

Et j'avais envisagé de descendre un mec.

— Arrête de te fustiger. Ça a marché. Jonson va rentrer en ville et ne se rappellera rien de ce qui s'est passé à partir du moment où il a dévalé la colline jusqu'à celui où il a repris la route d'Ellerton.

— Tu en es sûr ?

Je tremblais entre ses bras.

— Sûr et certain.

Reculant, il a plongé ses yeux dans les miens.

— Hunter se pointe, a-t-il annoncé sans se retourner.

Me dressant sur la pointe des pieds, j'ai regardé par-dessus son épaule. En effet, Hunter, Jonas, Summer, Arizona et Ève traversaient la prairie derrière la grange, foulant d'un pas lent les herbes argentées. Ils semblaient épuisés.

— Tout va bien ? a lancé Phœnix en me lâchant pour se poster à côté de moi.

— Oui, a opiné Hunter. J'ai confié le bébé à Donna, là-haut dans le fenil. Iceman descend du rocher de Midi, il devrait bientôt être là.

Il s'est adossé avec lassitude à l'épave du camion.

— À combien d'entre eux avons-nous effacé la mémoire ? s'est enquise Arizona en s'asseyant sur une marche du perron.

— Un seul, a soupiré Hunter, tête en arrière, les yeux fermés. Le père de Jonas. Grâce à Darina, qui est incapable d'obéir aux ordres.

— Je t'avais averti, a répliqué la brune. Hé, Phœnix, tu as dit à ta copine que, chaque fois que nous lavons le cerveau de quelqu'un, ça affaiblit tout le groupe ? Non, j'imagine que non.

— Comment ça ? ai-je sursauté.

— Contrôler un esprit de cette façon requiert énormément d'énergie, m'a-t-il expliqué. Du coup, nous perdons nos forces, et nos sens leur acuité.

— Je l'ignorais, ai-je murmuré.

S'approchant, Summer m'a gratifiée de l'un de ses gentils sourires.

— Ne te bile pas, Darina. Nos pouvoirs seront restaurés quand nous nous serons reposés.

— Alors, Iceman, c'était comment au rocher de Midi ? a demandé Ève au nouveau venu qui venait de traverser la rivière et se joignait à nous.

Petit et sec, l'homme avait des cheveux clairs très courts. Je l'ai reconnu pour l'avoir aperçu en compagnie d'Ève, de Donna et du bébé.

— RAS, a-t-il répondu. Ça va, Jonas ?

— Ouais.

— Désolé pour ton père, mec. J'espère qu'il ne reviendra pas se prendre une autre raclée.

— Il aura l'impression d'avoir tenu dix rounds contre Mike Tyson, est intervenue Arizona de sa voix traînante en étudiant ma réaction.

Incapable de me défendre, j'ai baissé la tête sans piper un mot.

— Pourquoi t'en prends-tu à Darina ? a lancé Summer qui s'était rangée à mon côté. Je te signale que c'est elle qui nous a prévenus.

— Et elle qui n'a toujours rien obtenu de Zoey Bishop, a ajouté Hunter qui, naturellement, n'était pas du genre à plaider ma cause. Ça ne nous aide pas que tu viennes ici et te montres à nos adversaires, tu sais ?

Il avait raison.

— Désolée, ai-je marmonné.

— Garde tes excuses et rends-toi plutôt utile. Jonas, ramène-la à sa voiture. Elle est garée au-delà du rocher de l'Ange. Summer, Arizona et Ève, restez au calme pour reprendre des forces. Toi aussi, Phœnix.

Fronçant les sourcils, j'ai failli supplier qu'on laisse ce dernier me raccompagner. Rien qu'à l'idée de me séparer de lui, mon cœur et mon estomac se serraient.

— Pars avec Jonas, m'a-t-il cependant chuchoté.

Puis il m'a longuement embrassée sur la bouche, en dépit des regards meurtriers de Hunter. Après lui avoir rendu son baiser, j'ai obtempéré et me suis éloignée sous la lune et les étoiles, Jonas à mon côté. Nous avons marché un bon moment en silence.

— Je suis navrée, ai-je enfin dit. Je ne l'ai pas fait exprès... de me montrer à ton père, s'entend. Il avait un flingue. Ça m'a fichu la frousse.

— Ne t'inquiète pas.

Jonas était encore plus pâle sous le clair de lune, et ses paupières en paraissaient d'autant plus lourdes, ses pupilles énormes dans le bleu clair des iris.

— Ça se serait passé de toute façon, a-t-il poursuivi. Mon père se fiche de tout, à présent. Je m'attends à ce qu'il fonce droit sur un rocher avec sa bécane pour en finir, une fois pour toutes.

— Et pour être avec toi ?

— Oui. C'est pourquoi il a acheté la Dyna. Pour me ressembler. Pour se rapprocher de moi.

— Tu n'en sais rien, ai-je objecté. Ce sont des conjectures.

— J'ai vu la façon dont il conduit et l'expression de son visage. C'est la mort ambulante.

Poussant un soupir, je me suis arrêtée pour reprendre mon souffle au sommet d'une pierre ronde et lisse.

— Ton père n'a donc personne d'autre ?

— Juste ma mère. Depuis mon accident, elle est sous médicaments. En ce moment, elle vit chez sa sœur, à Chicago. Elle s'octroie un peu de repos. Loin de mon père. Loin de tout.

C'était clair. Vu les conclusions de l'enquête qui venaient d'être publiées, il n'était pas difficile de comprendre pourquoi sa mère avait préféré s'éloigner.

— Je regrette de ne pas pouvoir faire plus, ai-je murmuré.

Nous avons longé la crête qui menait à ma voiture, chacun de nous perdu dans ses propres pensées. Jonas avançait mains dans les poches, shootant dans des petits cailloux qu'il expédiait contre les rochers.

— Hunter est dur avec toi, a-t-il soudain marmonné.

— Il me fiche la trouille, ai-je avoué.

— Summer a une théorie à ce propos. Tu veux la connaître ?

— Parce que vous parlez de moi ? me suis-je étonnée.

— Bien sûr. Tu es le seul sujet de conversation intéressant.

— Avec les catastrophes dont vous avez été tous victimes ces douze derniers mois.

— Sauf qu'elles sont immuables. À moins que toi, Darina, parvienne à les changer. Nous dépendons de toi.

Pour la première fois, j'ai pris conscience de l'ampleur de ce qu'ils attendaient de moi. D'abord, aider Jonas, puis Summer, et ainsi de suite jusqu'au dernier d'entre eux. Pas étonnant du coup que le groupe se focalise sur moi !

— Alors, c'est quoi, cette théorie ? ai-je éludé, préférant éviter d'y réfléchir.

— Pour Summer, Hunter a une bonne raison de te maltraiter.

— Mis à part mon idiotie qui ne cesse de vous mettre des bâtons dans les roues ?

— Tu n'es pas idiote. Écoute, un jour, Summer a découvert une vieille photo. Hunter la conserve dans sa poche. Elle était tombée quand il a enlevé sa chemise pour nager dans la rivière. C'était le portrait d'une femme.

— Sa femme Marie ?

— Oui. Summer y a jeté un coup d'œil. Le cliché était fané, jauni, mais elle a pu constater que Marie te ressemblait beaucoup. Cheveux bruns identiques, yeux identiques. Même le sourire est identique.

— Wouah !

J'ai réfléchi un instant.

— Bon, ai-je ensuite repris, je lui ressemble. Et alors ? Est-ce une raison pour être teigneux avec moi ? Oh, j'y suis ! Je lui rappelle de mauvais souvenirs, et il se venge ?

— Alors que ce n'est pas ta faute, a acquiescé Jonas. Ce qui prouve une chose à propos de Hunter.

— Laquelle ?

Nous arrivions à destination. À environ trois cents mètres de là, je distinguais le pare-brise de ma voiture qui luisait sous la lune.

— Qu'il continue d'avoir des sentiments malgré toutes ces années. Qu'il n'est pas de glace, quand bien même il s'efforce de nous convaincre du contraire.

Hunter, le suzerain insensible des Revenants, le vengeur impitoyable. Ou Hunter, l'homme qui était mort en tentant de sauver Marie, Hunter qui avait aimé sa femme plus que sa propre vie.

À vous de choisir.

Le dimanche, Jim est à la maison, en général. Pas grave. Il est là, et je m'arrange pour ignorer sa présence.

Ce dimanche-là, cependant, après avoir dit au revoir à Jonas et lui avoir promis que je rendrais une nouvelle visite à Zoey dès que possible, j'ai découvert que je n'arrivais pas à échapper à la ligne de mire de Jim plus de cinq minutes d'affilée. Ça a d'abord été :

— Darina, sors les poubelles pour ta mère.

Puis :

— Tu as rangé ta chambre ?

Et :

— Comment vas-tu payer la réparation de ton pare-choc ?

Etc. Etc. M'assommant avec le quotidien rasoir, comme s'il me cherchait des poux dans la tête. Sauf que, au bout de quatre ans, je suis plutôt immunisée.

— Pourquoi n'essaies-tu pas d'être gentille, Darina ? m'a demandé Laura après que Jim a filé acheter du lait et le journal. Ne serait-ce qu'une fois dans ta vie ?

— Et lui ? ai-je riposté. Ça le défriserait d'être sympa avec moi ?

Laura s'acquittait des corvées de la semaine, la télé de la cuisine allumée et le lave-vaisselle ronronnant en arrière-plan. Elle n'était pas jojo, attifée d'un sweat-shirt de Jim dont le blanc avait viré au grisâtre et d'un pantalon de survêtement délavé, les cheveux tirés en arrière, les traits affaissés. À la façon dont je la toisais, Laura a dû deviner mes réflexions peu charitables, car elle s'est emparée d'un torchon et s'est mise à frotter une tache invisible sur le réfrigérateur.

— Je craque, a-t-elle bougonné. Toi et Jim allez devoir faire des efforts, sinon je me tire !

Sa maniaquerie ménagère signifiait qu'elle ne plaisantait pas.

— Je suis sérieuse, a-t-elle continué. J'en ai assez de l'atmosphère de plomb qui règne entre vous deux. Darina, il faut que tu admettes que Jim est l'homme que j'aime et avec lequel j'ai choisi de vivre. Quant à ton chagrin pour Phœnix, je le comprends. N'empêche, il ne fait pas de toi le centre du monde.

— Je ne suis même pas le centre de cette pièce ! ai-je protesté. Je suis après Jim sur la liste, quelque part entre nettoyer la baraque et t'avachir devant ton émission de télé préférée.

Cessant d'astiquer, Laura a posé son chiffon et s'est redressée sans se retourner vers moi.

— Tu es si jeune, a-t-elle soupiré en regardant par la fenêtre.

D'où ça venait, ça ? J'ai tressailli. Elle m'a fait face, les larmes aux yeux.

— Tu crois que la vie est simple, hein ? a-t-elle enchaîné. Noire ou blanche, juste ou fausse ?

Plissant le front, j'ai opiné.

— J'ai un avis, ai-je répondu. Et alors ?

— Tu me rappelles moi à ton âge, a-t-elle murmuré en essuyant ses pleurs et en reprenant son torchon.

— Mais tu as évolué ?

— Oui. Les choses sont bien plus compliquées que je l'imaginais. Presque chaque jour, je marche sur une corde raide. Dois-je faire ça, dire ça, sauter de ce côté ou de l'autre ? Je passe mon existence à tenter de ne pas perdre l'équilibre.

— À cause de Jim ou de moi ? ai-je demandé, prudente.

— Des deux. Et tu sais quoi, Darina ? Je range la maison et je pars bosser dans un magasin de vêtements parce que ça m'évite de réfléchir.

Lentement, j'ai secoué la tête. Ce n'était pas là une façon de vivre. Malheureusement, je n'ai pas pu le dire, parce que, dehors, la portière de la voiture a claqué. Jim est rentré pour annoncer que tout Ellerton était de nouveau en proie à des rumeurs sur les étranges phénomènes qui se passaient à la crête de Foxton. Il en a aussi profité pour conseiller à Laura de me boucler pour avoir bousillé ma bagnole, une semaine au moins, jusqu'à ce que les histoires de fantômes se calment, et que la ville retrouve son état normal.

« Pas question qu'il me punisse ! » Ce mantra dans la tête, je me suis faufilée en douce hors de la maison en fin d'après-midi, ce même jour, dès que Jim a eu le dos tourné.

J'ai fait le plein d'essence à la station-service où Phœnix avait été tué avant de rouler jusqu'au garage de Charlie Fortune. Je m'attendais à ce qu'il soit fermé, un dimanche. En effet, les grilles étaient tirées devant la vitrine, protégeant les motos luisantes.

Cela ne m'a pas empêchée de traquer Charlie, car je savais où il habitait, une résidence au-dessus du centre commercial. Et puis, j'avais promis à Jonas d'enquêter sur son accident avant que son délai ne soit écoulé – plus que neuf jours.

— Je vais parler à Charlie, avais-je décrété la veille au soir, là où la rangée de sapins cédait la place à des broussailles et des rochers. Il laissera peut-être échapper quelque chose à propos de la révision qu'il a effectuée sur ta bécane.

Jonas avait concentré tous ses espoirs dans le regard qu'il m'avait adressé avant de me dire au revoir.

— Ne néglige aucune piste, avait-il soufflé, mais ne sois pas trop dure avec Zoey quand tu la reverras.

Hochant la tête, je l'avais embrassé sur la joue. J'avais de la peine pour lui. Effleurant la boucle de son ceinturon dans ma poche, je m'étais éloignée.

Bref, braver les conteneurs à poubelles puants et l'ascenseur crasseux de l'immeuble n'a pas constitué une épreuve trop éprouvante, non plus qu'affronter les graffitis obscènes ou le noir costaud assis devant sa porte qui m'a reluquée de haut en bas quand j'ai longé la coursive extérieure menant à l'appartement de Charlie. J'ai frappé.

— Quoi de neuf ? m'a lancé le mateur sur sa chaise délabrée.

— Je viens voir Charlie, ai-je répliqué sur un ton qui laissait entendre que c'était pourtant évident.

— Il n'est pas là. Il n'y a que Matt.

Du coup, j'ai regretté d'avoir manifesté ma présence en cognant. Je n'ai pas eu le temps de m'éclipser. Matt a ouvert. Me découvrant sur le seuil, il a failli me claquer la porte au nez avant de changer d'avis.

— Content de te voir, Darina. Tu as l'air en forme.

Sa voix avait des accents insultants qui contredisaient ses paroles de bienvenue. Je n'ai ni cillé ni parlé, peu désireuse de lui donner la satisfaction d'une réaction.

— Pâle, tragique, a-t-il continué. Ça te va bien.

Là, je n'ai pas pu résister.

— Je te croyais à Foxton avec Christian ? Ah, c'est vrai, j'oubliais ! Ton grand frère t'en a ramené par la peau des fesses.

— C'est ce qu'on t'a raconté ? s'est-il hérissé.

— Ouais. Il paraît que les petits garçons ont peur des fantômes.

— Mais pas toi, hein ?

Il a avancé, m'obligeant à reculer, le dos scié par la rambarde de la coursive, quatre étages au-dessus du vide.

— D'après Logan, a-t-il repris, tu es bizarre, Darina. Tu passes beaucoup de temps là-haut, non ?

— Mes allers et venues ne regardent en rien Logan, ai-je marmonné en essayant de filer sous son bras.

— Sauf que Logan n'est pas de cet avis, a-t-il ricané en me bloquant de nouveau le passage. J'ai vu la façon dont il te regarde, ces derniers temps. Pourtant, je l'ai prévenu. Sous tes airs chaleureux, tu es froide comme la glace. Je suis bien placé pour le savoir.

Pour le coup, j'ai pété un plomb. Me redressant, je lui ai balancé son paquet en pleine figure.

— Tu as peut-être du mal à le croire, mais toutes les filles ne sont pas prêtes à se prosterner devant toi. D'ailleurs, aucune de celles que je connais ne se laisserait avoir par ton sourire de bellâtre et ton blouson en cuir. Pas après ce que tu as infligé à Zoey.

Il a cligné des paupières, s'est penché sur moi, trop près à mon goût.

— Quoi ? Qu'est-ce que je lui ai fait, à Zoey ?

Je l'ai repoussé des deux mains.

— Tu l'as jetée devant tout le monde, pendant une fête. Et tu as dragué sa meilleure copine en public. Pour toi, ce n'est pas un problème, j'imagine ?

— Oh, ça ! a-t-il rigolé. Zoey a toujours tout dramatisé.

— Ben tiens ! me suis-je énervée en l'obligeant à s'écarter, ce qu'il a fini par accepter de faire. Tu réécris l'histoire comme tu veux, Matt. Dis juste à ton frère que je souhaite lui parler.

— Tu veux acheter une Harley ? s'est-il esclaffé.

— Pourquoi pas ? ai-je rétorqué en filant.

— Charlie est trop vieux pour toi ! a-t-il crié dans mon dos. Toi et lui ne jouez pas dans la même cour.

— Ou peut-être pas ! est intervenu le voisin en m'adressant un clin d'œil.

Furieuse, j'ai dévalé l'escalier avec l'impression de m'être salie et d'être une naine.

Ce soir-là, je suis restée à la maison. Si mon corps était là, mon esprit non, en revanche. J'étais à Foxton, avec la porte de la grange qui claquait. J'étais aussi chez Zoey. Je me souvenais des moments heureux avec Summer et de la pression qu'exerçait Logan sur moi, depuis quelque temps. Surtout, j'étais avec Phœnix, je l'écoutais parler, je sentais son étreinte qui déclenchait mes frissons, je mourais d'envie de le revoir.

J'arpentais ma chambre comme une lionne en cage.

Phœnix, une boucle de cheveux noirs tombant sur son front, ses yeux bordés de cils épais, ses lèvres pleines et sa belle peau pâle, les petites ailes d'ange tatouées sur son corps parfait, entre ses omoplates. Aussi agité que moi, incapable de trouver la paix.

— Je t'aime, ai-je chuchoté en regardant par la fenêtre, en direction des montagnes plongées dans l'obscurité où se dessinait, au loin, la croix de néon.

Laura a frappé avant d'entrer. Elle s'était habillée pour le dîner, maquillage, coiffure, corsage blanc à fronces, pantalon noir.

— Je viens d'avoir un coup de fil de Brandon Rohr, m'a-t-elle annoncé.

— Que voulait-il ?

— Il m'a demandé de te dire qu'il t'avait dégoté une voiture.

— Bon sang ! ai-je soupiré.

— C'est quoi, ces histoires ?

— Ne m'en parle même pas !

— A-t-il promis à Phœnix qu'il s'occuperait de toi ?

J'ai opiné.

— Où a-t-il déniché cette voiture ? J'espère qu'il ne l'a pas volée.

Je l'ai pétrifiée sur place d'un seul coup d'œil.

— C'est ça ! Bien sûr, qu'il l'a piquée ! Ça lui ressemble forcément d'offrir à la copine de son frangin mort une bagnole qui la conduira droit en taule.

— Je vais demander à Jim de lui parler, a-t-elle décidé en refermant la porte derrière elle.

Mon portable a sonné au même instant. C'était Mme Bishop.

— Je sais qu'il est tard, Darina, mais pourrais-tu venir voir Zoey, s'il te plaît ?

— Tout de suite ?

— Dès que possible. C'est important.

Sa voix s'est brisée.

— Que se passe-t-il, madame Bishop ?

— Bob Jonson est passé tout à l'heure. Il était persuadé que Zoey se souvenait de l'accident, qu'elle faisait semblant d'avoir tout oublié. Il a insisté, il avait un comportement étrange. Je crois qu'il a perdu les pédales. Russell a été obligé de le mettre dehors.

— Flûte !

J'ai imaginé le père de Jonas cognant à la porte des Bishop, avec un mal de crâne carabiné et des pans de sa mémoire effacés.

— Zoey a commencé à revivre certains détails de ce jour. Malheureusement, tout se mélange. Ça n'a pas grand sens.

— Oh, mais c'est encourageant ! me suis-je exclamée.

Ça m'éviterait de devoir pressurer mon amie.

— Nous ne souhaitons pas qu'elle expérimente à nouveau ce traumatisme sans supervision, a cependant objecté sa mère. Nous avons appelé Kim Reiss. Comme c'est dimanche, elle n'est pas en ville. Voilà pourquoi Zoey t'a demandée.

J'étais déjà hors de ma chambre, pratiquement à la porte, en train de décrocher mes clefs du tableau dans l'entrée.

— Où vas-tu ? a lancé Jim, prêt à en découdre.

— Maman ? ai-je crié par-dessus mon épaule. Zoey a besoin de moi ! J'arrive, ai-je ajouté à l'intention de Mme Bishop. Je serai là dans dix minutes.

— Dépêche-toi, a-t-elle sangloté. J'ai peur. Zoey est en train de se déliter sous nos yeux.

Chapitre 7

— Je le vois ! a haleté Zoey en agrippant ma main, le doigt tendu vers la pièce voisine. Jonas est là-bas !

Ce n'est pas moi qui la traiterais de cinglée. Pourtant, quand je suis allée vérifier, l'endroit était vide.

— Calme-toi, ai-je rassuré Zoey. N'aie pas peur.

Autant cracher dans un violon.

— Dis-leur de partir, m'a-t-elle suppliée.

— Qui ?

Nous étions seuls. Ses parents avaient déguerpi quand elle le leur avait ordonné à grands cris.

— Maman et papa. Ils m'étouffent.

Le regard vague, le front emperlé d'une sueur froide, elle a battu des bras.

— Ils ont filé, il n'y a que toi et moi.

— Je suffoque. Je ne peux plus bouger. Que s'est-il passé, Jonas ?

— Chut ! Respire lentement.

Il était clair qu'elle était ailleurs qu'ici et qu'elle paniquait.

— Il a disparu ! a-t-il gémi en s'accrochant encore plus fort à moi. Il était ici, il essayait de me dire quelque chose. Il a parlé, mais je n'ai pas entendu ses mots.

Je me suis efforcée de garder mon calme.

— Je suis là, moi. Darina. Inspire, expire.

Peu à peu, ses halètements se sont apaisés, et elle a inhalé de façon plus régulière.

— Je veux que Jonas revienne, a-t-elle pleuré.

J'ai senti sa douleur comme si c'était la mienne. Zoey et Jonas, moi et Phœnix. À égalité. Sinon qu'elle n'était pas entrée en contact avec les *Beautiful Dead*, qu'elle ignorait leur existence.

— Y a-t-il un message que tu voudrais lui transmettre ? ai-je murmuré.

— Je l'aime. Je l'aimerai toute ma vie.

Son visage déformé par le chagrin et humide de larmes m'a serré le cœur. M'agenouillant, j'ai enroulé mes bras autour de ses épaules.

— Autre chose ?

— Je veux qu'il revienne.

J'ai cessé de respirer. Il suffisait que je prononce une phrase, et son vœu serait exaucé. « Laisse-moi t'emmener à la crête de Foxton. » Sauf que ça détruirait toute la bande. À la place, j'ai attiré sa tête contre ma poitrine.

— Je sais ce que tu traverses, ai-je soupiré.

— Je m'en doute, Darina. T'arrive-t-il d'en parler ?

— Non.

— Même pas à ta mère ?

— Surtout pas.

— Moi non plus. À Logan, peut-être ?

— Non. À personne.

— J'ai des visions, m'a avoué Zoey. Parfois, une image s'impose à moi : Jonas sur sa moto, sous un soleil aveuglant. Je l'appelle, mais il s'éloigne sur une route étroite et tortueuse, les parties métalliques de sa bécane étincellent. À d'autres moments, je suis à califourchon derrière lui, le vent ébouriffe mes cheveux, je l'enlace. Tout se termine dans un fracas horrible et l'obscurité.

— Je sais, me suis-je contentée de souffler, pas certaine d'être capable d'ajouter quoi que ce soit.

— Ensuite, je l'entends. Penché sur moi, la voix lointaine, il s'excuse. Encore et encore. C'est tout. J'essaie de lui dire que ce n'est pas sa faute, mais les mots bloquent, comme si j'avais la bouche pleine de cailloux. Alors, il disparaît, et je ne perçois plus qu'une espèce de vent dans le noir, un peu comme des battements d'ailes, des centaines, des milliers d'ailes, peut-être. Puis, plus rien. Jonas s'est évaporé, je lui répète que ce n'est pas sa faute, et je perds le fil et je me retrouve seule. C'est intolérable. Un jour, une heure, une minute supplémentaire – je n'y arrive plus.

— Il le faut, pourtant, ai-je objecté d'une voix tremblante. Pour Jonas.

Et parce que j'avais besoin qu'elle recouvre la mémoire. Pas seulement à travers des flashs, ou des visions comme elle appelait ça, mais avec une froide lucidité, dans l'ordre.

— Je me sens tellement seule, a-t-elle redit.

— Tu ne l'es pas. Si Jonas est parti, je suis là, moi. Tu sais que tu peux me faire confiance.

J'ai planté mes yeux dans les siens pour qu'elle comprenne bien le message. De vieux doutes ont hélas resurgi dans sa tête abîmée, et elle a reculé.

— Comment en être sûre ? a-t-elle rétorqué.

— Nous sommes amies depuis toujours.

— Sauf qu'il y a eu Matt, a-t-elle riposté en me repoussant. Tu m'as littéralement humiliée.

— Faux ! me suis-je défendue. Je te le répète, c'est lui le coupable. Pourquoi refuses-tu de me croire ?

— D'après lui, c'est toi qui lui as couru après. Avant et après la fête de Hannah.

— Il ment.

J'avais beau ne pas avoir envie de remuer la boue, Zoey ne renoncerait pas tant qu'elle resterait en colère contre moi. Il fallait que nous vidions cette querelle.

— Il voulait sûrement se remettre avec toi, ai-je enchaîné. Du coup, il a réécrit l'histoire.

— Oui, c'est vrai. Il est venu me trouver au bahut le lendemain.

— Matt n'est pas un mec bien. Il se pense irrésistible, alors que c'est un débile profond. Oublie-le, parle-moi plutôt de Jonas. Quel message t'efforces-tu de lui transmettre, dans ton flash-back, lorsqu'il s'excuse ? Ça se produit juste après l'accident, non ?

Elle a opiné.

— C'est pour ça que je ne parviens pas à m'exprimer. Je suis couchée sur la chaussée, j'ai du mal à respirer. Je ne vois que son visage.

— Tout se passe si vite. Il fait chaud. Vous roulez sous le soleil et, paf ! la minute d'après, c'est fini. Il est arrivé quelque chose, et tu essaies de déterminer quoi.

Une fois encore, elle a acquiescé, l'air hagard, le regard vide.

— Jonas n'était pas responsable. C'est ça, que je cherche à lui dire. Qu'il y avait un détail...

— Une voiture venant en sens inverse du mauvais côté de la route ? ai-je suggéré, lui servant la première idée qui me traversait l'esprit.

— Rien de tel.

Elle se concentrait pour tenter de ramener le souvenir à la surface et de lui donner un sens. J'ai retenu mon souffle en agrippant le dossier de son fauteuil.

— Je suis allongée par terre, Jonas plane au-dessus de moi. Comme s'il flottait.

— Remonte plus loin. Que s'est-il passé, avant ?

— Jonas a perdu le contrôle de la Harley. Il y a eu un truc...

— Quoi ? ai-je insisté. C'était la moto ? Un pneu a éclaté ? Les freins ont lâché ?

— Non.

Elle a cillé, a paru renoncer. Son corps s'est affaissé.

— Je ne sais pas, a-t-elle murmuré. J'ai oublié.

— Tu t'en sors bien, l'ai-je consolée en lui caressant les cheveux.

Soudain, j'ai remarqué que Mme Bishop avait ouvert la porte sans bruit et nous observait.

— La prochaine fois, tu te rappelleras mieux, ai-je conclu.

— Chérie ? a lancé sa mère. Tu es épuisée. Il est temps que Darina s'en aille.

Zoey n'a pas protesté.

— Désolée, a-t-elle murmuré avec un gros soupir déçu.

Je lui ai serré la main en m'efforçant de sourire.

— Pas de souci. Repose-toi. Je reviendrai demain.

La laissant aux bons soins de sa mère, je suis partie... pour tomber en plein sur son gros ours de père qui m'attendait dans le vestibule.

— N'y compte pas trop, m'a-t-il avertie. C'est moi qui décide qui peut rendre visite à ma fille, et ton influence sur elle ne me plaît pas trop, Darina.

— C'est votre femme qui m'a téléphoné pour me prier de passer, ai-je répondu.

Haussant les épaules, je l'ai contourné. Il n'a pas bougé, planté là dans sa chemise à carreaux rouges bien repassée et son pantalon bleu marine.

— J'ai entendu la plupart de votre conversation, a-t-il poursuivi. Je te le répète, je n'aime pas la façon dont tu joues avec Zoey. Tu essaies de lui faire revivre un traumatisme qu'elle n'est pas en mesure de supporter.

J'avais été confrontée à beaucoup d'obstacles, ce jour-là. Russell Bishop était celui de trop.

— C'est vous qui la confinez dans un état larvaire en l'empêchant d'affronter la réalité ! ai-je donc rétorqué.

De petits muscles ont tressailli au niveau du cou de mon interlocuteur qui s'est brusquement penché vers moi.

— Ma fille a dix-sept ans et elle est paralysée, a-t-il sifflé, furibond. Notre famille affronte la réalité des événements passés tous les jours !

Aïe !

— Vous avez raison, désolée. Il n'empêche, c'est votre femme qui m'a appelée. Zoey avait besoin de parler.

— Zoey est trop déboussolée pour savoir ce dont elle a besoin, s'est-il entêté en m'ouvrant la porte. Je suis son père, je décide pour elle. Alors, Darina, laisse-moi te dire que nous t'avons autorisée à venir uniquement parce que notre fille perdait le nord et que nous n'avions aucun moyen de contacter sa psy. Nous avons cédé à ses exigences, ne t'attends pas à ce que ça se reproduise.

Le message était clair – inutile de te pointer une nouvelle fois chez nous, petite.

— Même si elle me le demande ?

— Au revoir, Darina, a répondu le père Bishop en me regardant comme si j'étais transparente.

Le battant s'est refermé derrière moi.

Le lendemain, je me suis réveillée tôt. Une décapotable rouge flambant neuve encombrait notre allée.

— Elle est à toi, m'a annoncé Laura en me tendant des clefs du bout des doigts. Brandon Rohr l'a déposée tout à l'heure.

— Je vais finir par croire au Père Noël, a grommelé Jim en partant bosser.

— Il a emporté ton ancienne voiture, a précisé ma mère qui, visiblement, ne savait trop que penser de ce qui motivait Brandon. Vous deux... Vous ne sortez pas ensemble, hein ?

— Tu délires ? me suis-je hérissée en m'emparant du trousseau.

— Il te la prête ou tu vas la garder ? s'est-elle enquise en venant sur le seuil et en me regardant démarrer.

Le moteur a ronronné sans soubresaut ni toussotements. Un vrai changement.

— Aucune idée, ai-je répondu, sincère. Bon, je pars la tester dans Centennial.

— Pose la question à Brandon quand tu le croiseras. Et dis-lui bien que je veux vérifier les papiers.

La saluant de la main, j'ai reculé dans la rue puis ai bifurqué au carrefour suivant, en direction de Foxton, avec comme seul but de voir comment marchait ma nouvelle voiture rouge.

Génial ! Je n'avais pas roulé depuis cinq minutes que j'étais à deux doigts de me transformer en cinglée de la bagnole. Suspension souple, accélérations à vous décoiffer, un tableau de bord ravissant avec un volant en cuir beige pour rehausser le tout. On se fichait vraiment de savoir si les papiers étaient en règle ou non.

J'étais tellement emballée que je n'ai même pas aperçu Phœnix et Jonas qui se tenaient au bord de la route, à l'embranchement de la piste menant au rocher de l'Ange. Deux silhouettes sous un arbre, tels deux lycéens s'apprêtant à faire du stop. J'ai freiné, me suis arrêtée, ai ouvert la portière passager. Phœnix s'est accroupi, apparemment décidé à ne pas se laisser impressionner par mon nouveau mode de transport tape-à-l'œil.

— Salut, toi.

« Mon ange, amour de ma vie, ne bouge pas, que je puisse me régaler de la moindre parcelle de toi, avec ce soleil qui forme un halo autour de ta tête. »

— Salut. Montez, je vous emmène en balade.

— Il faut qu'on parle, a-t-il répondu. Prends le chemin.

Déçue, j'ai obtempéré.

— Désolée, me suis-je excusée, toute rouge, quand je suis descendue de voiture. Je suis une gourde.

— Tu t'amusais, a répondu Phœnix avec un sourire. Navré de te gâcher ton plaisir. C'est mon frère qui t'a filé cette caisse ?

— Oui. C'est ce que j'appelle se montrer très attentionné. Bon, de quoi faut-il discuter ?

Remarquant l'expression lugubre de Jonas, j'ai ajouté :

— J'ai vu Zoey, tu es au courant ?

— Oui, hier soir. Comment va-t-elle ?

J'ai hésité.

— Ça n'est pas simple, ai-je fini par reconnaître. Ses vieux m'ont téléphoné parce qu'elle pétait un câble. Rassure-toi, j'ai été sympa.

Un camion a dévalé la nationale en direction d'Ellerton, immédiatement suivi par une voiture. Pour avoir la paix, Phœnix nous a entraînés derrière un arbre.

— Et toi, ça va, Darina ? s'est-il enquis. La dépression de Zoey ne t'a pas tirée vers le bas ?

— Non. Je lui ai dit que je comprenais ce qu'elle éprouvait, sa solitude. Elle affirme t'aimer encore, Jonas. Ça lui a fait du bien d'en parler. Elle commence aussi à avoir des souvenirs épars de l'accident, ce qui est encourageant.

— Elle t'a appris quelque chose de nouveau ? a poursuivi mon chéri en jouant avec une boucle de mes cheveux.

— Juste qu'elle se voit allongée sur la route après l'événement, qu'elle est incapable de bouger. Pour elle, tu es encore là, Jonas, vivant, t'excusant.

Phœnix a resserré son étreinte autour de ma taille.

— Jonas est mort sur le coup, m'a-t-il rappelé. C'est son âme qu'a vue et entendue Zoey.

Soudain, je me suis souvenue des battements d'ailes qu'elle avait perçus. Il avait raison, j'aurais dû le comprendre plus tôt, bien sûr.

— Autre chose ? a insisté Jonas.

— Non. Ses parents devaient nous espionner derrière la porte. Sa mère est intervenue sans me laisser le temps de pousser un peu plus sa fille. D'ailleurs, elle n'a pas eu tort, Zoey était crevée par ce qu'elle avait réussi à se remémorer. Bref, elle ne m'a rien appris de plus pour l'instant.

— Et après ? a demandé Phœnix, en lisant sur mes traits que je leur cachais quelque chose.

— Après... le père Bishop...

Je me suis tue en haussant les épaules.

— Il t'a interdit de remettre les pieds chez eux, hein ? a-t-il deviné.

— Oui. Il ne m'aime pas. Du moins, il n'aime guère ceux qui vivent de mon côté de la voie ferrée.

— Parce que c'est là qu'il a débuté, est intervenu Jonas. Il y a vingt ans, il n'avait pas un rond en poche. Ensuite, d'après Zoey, il a eu du pot et a épousé une héritière.

Ce qui expliquait bien des choses.

— Tu te doutais que ton père leur a également rendu visite ?

Les deux gars ont paru surpris par cette nouvelle.

— Nous ne l'avons pas suivi après qu'il nous a quittés, a dit Phœnix. Que voulait-il ?

— Il a braillé, a insulté tout le monde. Je n'en sais pas plus, sinon que ça n'a fait qu'aggraver la situation. Maintenant, M. Bishop ne veut plus personne chez lui.

— Et nous n'obtiendrons pas plus de réponses, a soupiré Jonas.

— Exact, ai-je confirmé. Sauf si le hasard me met de nouveau sur la route de Zoey, au cabinet du Dr Reiss, jeudi. Je me débrouillerai pour que ça se produise, ai-je ajouté en décelant une lueur d'espoir dans son œil. J'irai tôt et m'arrangerai pour que nous puissions bavarder.

Jonas m'a remerciée d'un signe de tête avant de regarder la grand-route.

— Une voiture monte, a-t-il annoncé avant même qu'on ne l'aperçoive.

Au premier coup d'œil, j'ai reconnu la Honda blanche.

— C'est Logan ! me suis-je exclamée. Qu'est-ce qu'il fabrique dans le coin ?

— Il te suit, a deviné mon amoureux.

— Disparaissez ! ai-je lancé aux garçons. Je m'occupe de lui.

Je m'attendais à ce qu'ils se planquent derrière un fourré ou un rocher. Eh bien non ! Il a fallu qu'ils se comportent comme des zombies en se dématérialisant juste sous mon nez ! De solides, ils sont devenus flous avant de s'évaporer comme s'ils n'avaient jamais été là.

— Hé, revenez ! ai-je crié, tandis que Logan mettait son clignotant et s'engageait sur la piste.

— À qui parlais-tu ? m'a-t-il demandé en s'extirpant de son véhicule.

— À personne ! Qu'est-ce que tu fiches ici, toi ?

— Je te surveille, a-t-il avoué franchement, comme s'il me rendait service.

— Comment as-tu su que j'étais ici ?

— J'ai téléphoné chez toi. Ta mère m'a appris, pour ta nouvelle voiture. Et aussi que tu voulais la tester avant d'aller au lycée. Je lui ai promis de m'assurer que tu serais là où tu es censée être, à savoir assise sagement à un pupitre.

— Je ne suis pas une môme, me suis-je emportée. Il faut que tu arrêtes de me suivre. Je commence à avoir l'impression d'être traquée par un malade mental.

Le dernier tour de passe-passe de Phœnix et Jonas m'avait déstabilisée, et j'avais l'impression qu'ils traînaient encore dans les alentours, à écouter ma conversation avec Logan.

— Comment peux-tu dire ça ? a sourcillé ce dernier.

— Ha ! ai-je rétorqué en l'évitant pour regagner ma voiture.

Il m'a retenue.

— Darina, je sais que ça t'embête, mais ton comportement continue de m'inquiéter. Ta mère aussi, au demeurant. Nous tous.

— Je te le répète, c'est inutile. Et lâche-moi, tu me fais mal.

— Je tiens à toi aussi, a-t-il insisté d'une voix mécanique. Je tiens beaucoup à toi, Darina. Je voudrais que nous soyons plus que de simples amis.

Un laïus dont j'ai deviné qu'il s'était entraîné à le déclamer. Qui m'a quand même surprise à m'en décrocher la mâchoire. Je me suis ressaisie, cependant, pressentant que, si je ne réagissais pas très vite, il allait m'embrasser.

— Lâche-moi, ai-je redit. Et sache que ce que tu souhaites est impensable. Enfin, Logan ! Je te connais depuis toujours !

— Et alors ? a-t-il répliqué en se penchant vers moi.

C'était dingue. Logan Lavelle nourrissait des idées romantiques à mon égard sous les yeux de mon bel et invisible Phœnix.

— Nous sommes comme frère et sœur. Et puis, tu choisis mal ton moment. Je ne me suis pas remise de la mort de Phœnix.

À ce nom, il s'est figé, l'air ébahi.

— Es-tu en train de dire que mon rival est un mort ?

— Mais qu'est-ce que tu as cru ? Que j'allais l'oublier comme ça ?

Je ne le comprenais plus. Il devait savoir ce que c'était de perdre quelqu'un qu'on aimait.

— Il n'est plus, Darina. Il ne reviendra pas.

— Tais-toi ! ai-je chuchoté en lui échappant et en m'éloignant.

Logan a semblé saisir en partie ce que j'éprouvais. En partie seulement, car il a répondu :

— OK, Darina, je pige. Il est trop tôt.

— Beaucoup trop tôt, ai-je confirmé, plus calme à présent que je m'étais réfugiée dans ma voiture.

— J'attendrai que tu aies fait ton deuil, a-t-il déclaré, comme si un délai était le plus beau cadeau qu'il pouvait m'offrir. J'attendrai le temps qu'il faudra.

À une époque, bien avant Phœnix, Logan et moi étions presque capables de lire dans les pensées l'un de l'autre. Nous étions toujours ensemble, aimions les mêmes choses, parlions la même langue. Cette complicité simple et merveilleuse du partage entre enfants me manquait. Néanmoins, il était hors de question que je sorte avec lui, quand bien même il n'y aurait pas eu Phœnix.

Ce soir-là, après les cours, j'y ai réfléchi. Fouillant dans mes affaires, j'ai tiré un album photos de sous une pile de magazines. J'en ai extrait deux clichés. Le premier avait été pris lors du précédent bal de fin d'année : Logan y figurait, habillé d'un smoking trop grand pour lui, un immense sourire aux lèvres, des yeux rouges de lapin et tout le toutim ; à côté de lui, en robe de satin sans manches bleu clair, une orchidée en boutonnière donnée par Logan, j'avais du mal à sourire, contrairement à lui.

Sur la seconde, Phœnix et moi étions dans l'alcôve d'un bar. On ne voyait que nos têtes et nos épaules. Phœnix était beau, cool, ironique. J'avais les cheveux auburn et courts, plein de mascara autour des yeux, et je m'esclaffais.

Fin de l'histoire. Il y avait la Darina d'avant Phœnix et celle d'après, deux filles différentes. Avec Phœnix, c'était un nouveau mélange chimique qui s'était produit, une fusion à blanc de cœurs et d'âmes. Le processus était irréversible, il était impossible d'éclaircir les malentendus et de revenir au lien privilégié que j'avais eu naguère avec Logan.

Le mardi et le mercredi, j'ai évité Logan et ses coups d'œil entendus à la dérobée.

L'anniversaire de la mort de Jonas approchait et, au lycée, on parlait d'organiser une sorte de cérémonie du souvenir, avec défilé de Harley conduit par Matt Fortune en personne, sur des motos prêtées par son frère Charlie.

— On se retrouvera en ville après le bahut, a expliqué Matt à sa bande de potes, parmi lesquels Christian et Lucas, mais pas Logan. On traversera Centennial, lentement, genre vingt kilomètres à l'heure et, toujours à la même vitesse, on ira jusqu'à la nationale de Foxton. On s'arrêtera à l'endroit exact de l'accident.

— Un peu glauque, non ? a jugé Jordan en s'éloignant du groupe.

Hannah était à côté de moi.

— Je ne sais pas quoi en penser, a-t-elle marmonné. C'est peut-être bien, dans le genre gothique.

— Ou complètement morbide, ai-je répliqué.

J'ignorais moi aussi à quoi m'en tenir. Je trouvais juste intéressant que Matt soit à l'origine de cette initiative.

— Cool ! s'est exclamé Lucas, enthousiaste. Je parie que Jonas nous regardera de là-haut et approuvera.

S'est imposée à moi l'image d'anges flottant sur des nuages rebondis et duveteux, jouant de la harpe et entourés d'une paix ensoleillée. J'en ai eu des frissons. J'ai failli protester, crier que ce n'était pas ainsi. Que la mort était dangereuse, dure, loin du repos éternel. Que des millions d'âmes ailées se battaient pour revenir.

— Où trouveras-tu une bécane ? a demandé Christian à Lucas.

— Charlie m'en prêtera peut-être une ? Tu lui poserais la question, Matt ?

— Est-ce que les filles pourront monter derrière vous ? est intervenue Hannah qui ne voulait pas être tenue à l'écart. Je répandrai des fleurs sur la chaussée.

Le projet se précisait. Matt a ensuite suggéré que Bob Jonson prenne la tête du convoi, devant les camarades de son fils.

— Tu crois qu'il tiendrait le coup ? a objecté Lucas. D'après ce qu'on raconte, il vit une sale période, en ce moment, tout seul chez lui. Inutile de lui mettre la pression.

— Proposons-lui, on verra bien, a répondu Matt en se rengorgeant devant deux filles qui venaient de rejoindre le petit groupe. On sera là pour le soutenir.

— C'est trop génial ! s'est exclamée l'une des nouvelles venues. Et nous, on formera deux rangées le long de la route et, après, on y déposera des bouquets.

— Il faudrait sans doute en parler à Zoey pour l'inviter à participer, a lancé quelqu'un.

Des fleurs, des Harley, un hommage silencieux sur le chemin, et maintenant Zoey. Ça commençait à ressembler à un vrai cirque, à mes yeux.

— Jonas n'était pas ce genre de type, ai-je rappelé à la bande. Il n'aimait ni se mettre en avant ni les flonflons.

— Ben tiens, a aussitôt riposté Matt en se tournant vers moi. Comme si tu le connaissais mieux que quiconque ! Vas-y, ne te gêne pas, parle pour lui, tant que tu y es.

— Je ne me souviens pas que *tu* aies été proche de lui, ai-je contre-attaqué. Je m'étonne d'ailleurs que tu sois l'instigateur de ce plan.

— Qu'est-ce que tu délires, là ? a-t-il rugi en se plantant à deux centimètres de moi. Je ferais semblant, c'est ça ? Je me ficherais bien de Jonas ?

— C'est le cas ?

Il était exclu que je me laisse impressionner. Au contraire, j'ai soutenu le regard de Matt, fixant ses étranges yeux noisette et vert sous ses lourds sourcils rectilignes. C'est lui qui a fini par détourner la tête.

— Bon, a-t-il repris, comme si de rien n'était, à propos de mardi prochain, qui se charge de parler à Bob Jonson ?

— Toi, mec, a répliqué Christian au nom de tous. Tu n'auras qu'à lui dire que ça l'aidera à faire son deuil, à ce pauvre gars.

Matt a attendu le jeudi pour se venger. Il m'a coincée alors que je quittais le lycée au volant de ma décapotable. Amenant son pick-up au niveau de ma voiture, il m'a forcée à me garer le long du trottoir, devant le 7-Eleven.

— Belle bagnole, a-t-il commenté en se penchant par-dessus son siège passager.

J'étais plus qu'énervée.

— Tu es malade ? Qu'est-ce que tu fous, là ?

— Il paraît que c'est un cadeau de Brandon Rohr.

— Ça ne te regarde pas.

— Comme si tu ne te mêlais pas des affaires des autres ! a-t-il ricané en sautant de son véhicule et en le contournant pour mieux m'embêter. À l'avenir, je te conseille de ne plus fourrer ton nez sale dans ma vie, pigé ?

— Je ne fourre rien du tout dans ta vie, ai-je répliqué.

Si j'avais les jetons, je me suis bien gardée de le montrer.

— Ah ouais ? Ce n'est pas toi qui es venue rôder chez Charlie ? Ce n'est pas toi qui as essayé de me rabaisser à propos de l'hommage à Jonas ?

— Te rabaisser n'est vraiment pas difficile, ai-je répondu avec calme.

— Bon Dieu ! Espèce de garce !

Il a abattu son poing sur mon pare-brise. Une cliente qui sortait de l'épicerie nous a reluqués avant de poursuivre son chemin.

— Et je voulais juste comprendre comment tu étais soudain devenu le meilleur pote de Jonas, ai-je repris, enfonçant le clou dans sa tête de pioche. Je me souviens du temps, pas si éloigné, ou toi et lui vous disputiez Zoey.

Matt était costaud, bronzé, et il respirait la santé. Aussi, il n'a pas pâli. Il n'empêche, j'ai aisément décelé le choc que j'avais provoqué par ma remarque. Il a semblé rétrécir avant de rouler à nouveau des mécaniques, de redevenir le mec qui consacrait bien trop de son temps dans la salle de musculation.

— Conneries ! a-t-il craché. Zoey et Jonas, c'était sérieux, tout le monde le savait.

— Dans ce cas, pourquoi as-tu voulu te remettre avec elle ?

— Qui t'a raconté ça ?

— Zoey.

Plus je l'obligeais à réfléchir, plus j'étais calme. Que pouvait-il se produire ? Un poing sur mon pare-brise tout neuf, Matt renâclant comme un taureau furieux.

— Conneries, a-t-il répété à voix basse.

J'ai enclenché une vitesse, prête à filer. Avant, j'ai quand même tenu à lui donner du grain à moudre.

— Alors, je crois qui, moi ? Toi ou Zoey ?

Sur ce, j'ai foncé droit au cabinet du Dr Reiss, histoire d'intercepter mon amie au moment où elle en sortirait.

— Vous vous connaissez ? s'est étonnée Kim quand elle a vu Zoey me saluer.

Cette dernière avait dirigé son fauteuil droit sur moi pour me prendre les mains, tandis que je patientais dans la salle d'attente.

— Je suis désolée pour dimanche, Darina. Je te prie d'excuser mon père.

— Zoey et moi sommes copines depuis des années, ai-je répondu au Dr Reiss. Vous nous donnez cinq minutes, s'il vous plaît ?

— Rejoins-moi quand tu seras prête, m'a-t-elle répondu en retournant s'enfermer dans son bureau.

— Comment vas-tu ? ai-je ensuite demandé à Zoey.

Si je ne suis pas très convaincue par le pouvoir guérisseur des embrassades, j'ai fait une exception pour elle.

— Bien.

— Tu as pleuré ?

— Oui, mais c'était positif, a-t-elle expliqué en s'efforçant de sourire. Kim conseille de laisser ses larmes couler. Je lui ai raconté ce dont je me souviens, après l'accident. Elle aussi trouve que c'est bien.

— Tant mieux.

Sauf qu'il m'en fallait plus, et que je n'avais guère de temps.

— Et avant ? ai-je demandé.

— Mon cerveau refuse de remonter jusque-là. J'ai essayé, chaque fois je me heurte à un mur.

— Il n'y a rien, donc ?

Fermant les yeux, elle a posé ses doigts sur ses tempes et s'est concentrée.

— Matt Fortune, a-t-elle marmonné.

J'ai sursauté.

— Quoi ?

— Je ne sais pas. Je n'arrête pas de voir son visage. Je cherche Jonas, mais c'est lui qui s'incruste.

— Et quand cela se passe-t-il ? Combien de temps avant l'accident ? Le même jour ?

— Non, a-t-elle répondu en laissant retomber ses mains sur ses genoux. Une semaine plus tôt, peut-être. Oui, Matt et moi traînions ensemble. Je rentrais chez moi, et il me suivait.

— Il te harcelait ?

« Encore, Zoey ! Encore ! »

— Oui, une vraie plaie. C'est un peu flou, n'empêche, je me souviens qu'il attendait que Jonas soit parti pour se comporter comme si lui et moi sortions encore ensemble. Ça me gênait, alors je l'ai envoyé bouler, même si je ne voulais pas l'offenser.

— Matt Fortune a le cuir épais, ai-je commenté. Il ne s'offense pas facilement.

— En tout cas, il ne m'a pas laissée tranquille, et les choses ont tourné au vinaigre quand je me suis résolue à en parler à Jonas. J'avais peur qu'ils se bagarrent.

À cet instant, Kim a ouvert sa porte.

— Seize heures trente, Darina ! La pendule tourne.

— Juste une minute.

Elle a acquiescé avant de disparaître.

— Et ils se sont battus ? ai-je ensuite demandé à Zoey.

Elle a plissé le front, cherchant à se rappeler.

— Non. Du moins, pas à ma connaissance. Quoi qu'il en soit, tout ce que j'obtiens, c'est le visage de Matt quand je voudrais voir celui de Jonas. Pourquoi, à ton avis ?

— J'aimerais le savoir. Focalise-toi sur la journée de l'accident.

— J'ai essayé avec Kim. Vraiment. Tout ce que j'arrive à me remémorer, quand j'imagine la nationale de Foxton, c'est un éclat de lumière. Pas de bruit, pas de roues qui dérapent, pas de freins qui crissent. Rien. Juste un éclair, puis le noir.

Un éclat de lumière. Et la tronche de Matt Fortune. Les deux étaient liés, forcément.

Cependant, Mme Bishop allait arriver pour récupérer sa fille, et j'avais un rendez-vous avec le Dr Reiss. J'ai dit au revoir à Zoey et suis entrée dans le bureau.

— Je continue à voir Phœnix, ai-je révélé à ma psy.

— Et comment réagis-tu ?

— J'en suis heureuse.

— Et ?

— Triste, brisée, vidée lorsque je dois le quitter.

— Décris-le-moi, s'il te plaît.

— Il est le garçon le plus beau du monde. Il me fait rire. Il a des opinions bien à lui. Il plaisante sur ce que les autres considèrent comme sérieux, la politique, l'argent, ce genre de choses. En revanche, il est grave sur ce qui compte – ne pas mentir, être franc. J'adore ça, chez lui.

Le soleil ne brillait pas, ce jour-là, dans le cabinet de Kim. Dehors, le ciel était bleu-gris, la couleur d'un hématome, avec des nuages épais bordés d'or.

— Quelle apparence a-t-il ?

— Chaque fois, ce sont ses yeux qui me frappent. J'ai l'impression d'être hypnotisée.

— De quelle couleur sont-ils ?

— Gris-bleu. Brillants. Sa peau est très claire.

Pendant une minute ou deux, Kim n'a rien dit, adossée à son fauteuil d'une douce teinte taupe.

— Il y a là quelque chose de significatif, a-t-elle fini par commenter.

J'ai attendu. Mon heure était presque terminée. Je n'avais pas lâché un mot sur les Revenants et je me demandais ce que Kim avait deviné toute seule.

— Quand je te demande de me décrire Phœnix, a-t-elle enchaîné, tu m'en parles au présent. Au point que j'ai la sensation qu'il est ici, avec nous dans cette pièce.

Juste après la séance, j'ai coupé mon portable et suis partie pour Foxton. Des gouttes de pluie maculaient mon pare-brise, mais je n'ai pas pris la peine de m'arrêter pour relever la capote. J'appréciais la fraîcheur humide sur mes joues.

Je roulais vite, un orage menaçait. J'ai dépassé la fourche de la route, continuant sur la nationale, me fichant qu'on m'aperçoive ou pas. Je n'ai pas tardé à atteindre le hameau au croisement de Foxton, et j'ai tourné à gauche, délaissant les cabanes de pêcheurs surplombant les eaux vertes et tumultueuse de la rivière.

Il pleuvait plus fort, à présent, et mes cheveux et mon tee-shirt blanc étaient trempés. J'ai eu beau me répéter qu'il aurait été raisonnable de fixer le toit, je n'avais pas envie de perdre du temps et j'ai poursuivi mon chemin. J'ai doublé une jeep dont le conducteur, un chasseur solitaire, s'appliquait à respecter les limitations de vitesse. J'ai traversé une forêt dévastée par un incendie, méli-mélo de sombres souches tordues et de troncs consumés qui s'étaient affaissés et pourrissaient lentement sous le ciel désormais d'un bleu presque noir. Un nom me poussait à accélérer dans ma hâte d'en discuter avec Jonas. Matt Fortune. Suscitant d'abord un agacement mineur, il avait fini par devenir un acteur essentiel des circonstances qui avaient mené à la fin tragique de Jonas. Je devais revoir certains détails avec ce dernier.

« Parle-moi de Matt. D'après Zoey, vous vous êtes presque battus. Jusqu'à quel point était-il jaloux ? A-t-il perdu la tête ? » Tout en répétant mes questions, j'ai mis les gaz en franchissant le pont de Foxton. Je suis allée le plus loin possible en voiture, puis j'ai bondi dehors et j'ai couru à travers les herbes jusqu'au réservoir. J'étais trempée comme une soupe et je frissonnais de froid. J'étais la seule créature vivante sous l'averse.

Bizarre. Il n'y avait pas de battements d'ailes, alors que je m'étais attendue à ce que Hunter déclenche sa barrière qui repoussait les gêneurs. « Où êtes-vous ? » ai-je songé en descendant la colline. « Phœnix ? C'est moi, Darina. » Le silence était si pesant que j'en ai presque regretté les ailes des *Beautiful Dead*. Pour quelle raison leur ouïe super développée ne les avait-elle pas avertis de mon arrivée, entre le bruit du moteur et celui de mes foulées dans les hautes herbes ?

— Phœnix ? ai-je appelé.

La porte de la grange a claqué. Une, deux, trois fois. Je suis entrée pour inspecter l'intérieur. Toiles d'araignée au plafond, poussière sur le sol, comme si rien n'avait perturbé les lieux depuis des années. Les vieilles brides et les harnais délaissés étaient suspendus à leurs patères, une fourche rouillée, une hache et une pelle étaient appuyées contre le battant inférieur d'un box.

— Jonas ? Summer ? Il y a quelqu'un ?

Mes cris ont dérangé une petite créature qui a filé, quelque part dans le fenil. *Bang !* Le fracas de la porte a résonné dans tout mon corps. J'ai couru jusqu'à la maison. Elle était fermée à clef.

— Laissez-moi entrer ! ai-je braillé en secouant la poignée.

Au-delà de la véranda, la pluie dégoulinait. Un éclair a fendu le ciel, le tonnerre a roulé.

— Hunter ! Fais-moi entrer !

J'ai regardé par une des fenêtres crasseuses. Le rocking-chair, la cuisinière, la table semblaient intacts ; la pièce avait les airs d'un musée désaffecté depuis des décennies. Sur le côté de la ferme, j'ai découvert un tonneau de récupération des eaux de pluie qui se délitait ainsi que les ridelles et la base d'un ancien chariot. J'ai dérapé, suis tombé, ai commencé à glisser en direction du ruisseau. Je n'ai évité la baignade forcée qu'en me rattrapant au dernier moment au tronc d'un jeune tremble. Une fois debout, j'ai fondu en larmes.

Où avaient-ils disparu ? Pourquoi ne répondaient-ils pas à mes appels ? J'ai erré dans la cour, sous la pluie battante, fouillant le moindre recoin dans ces lieux désertés. Un nouvel éclair a illuminé la nue, le grondement du tonnerre m'a renvoyée à toute vitesse dans la grange.

Bang ! Et si ça n'avait jamais existé ?

Bang ! Et si les Revenants étaient une invention de mon esprit malade ?

Bang ! Phœnix n'était pas revenu. Il était mort et enterré. Pour toujours.

M'affalant par terre, j'ai pleuré jusqu'à l'épuisement. Ensuite, j'ai essayé de gérer le choc de la nouvelle – je n'étais qu'une cinglée qui avait déliré sous l'emprise du chagrin, après la perte de celui qui avait signifié tout pour elle. Je l'ai dit à haute voix, afin de m'en convaincre.

— Qui d'autre que toi a vu ces défunts magnifiques, Darina ? Certes, il y a eu des rumeurs. Tout le monde à Ellerton a été secoué par ces quatre décès successifs, rien de plus normal. Des esprits craintifs ont imaginé ces histoires idiotes de fantômes, de bruits surnaturels qui n'étaient que le souffle du vent dans les feuilles. Point barre. Toi, bien sûr, tu as trouvé la boucle du ceinturon de Jonas. Mais qu'est-ce que ça prouve ? Juste qu'il l'avait perdue peu de temps avant de mourir. Tu n'as rien d'autre.

Les baisers de Phœnix, ses yeux plantés dans les miens, le tatouage d'une aile d'ange.

Sous la force de l'orage, dans le silence lugubre de la grange, tout espoir m'a abandonnée, laissant un vide qui n'a pas tardé à se remplir de la sensation atroce de la mort et de la décomposition qui m'entourait. Les licous des chevaux ressemblaient désormais à des cordes de pendus, la hache là-bas appartenait au bourreau masqué. Les frémissements de course dans le fenil étaient ceux des rats qui s'apprêtaient à ronger des cadavres. Nouveaux éclairs, tonnerre en furie dans la vallée. Je me suis assise, souhaitant que la tempête m'emporte, me fracasse contre les montagnes et me réduise en pièces.

Mon cafard a duré longtemps, jusqu'à ce que le ciel se calme, et que les nuages se dissipent. Un croissant de lune s'est levé, arc de lumière argenté, puis des millions de minuscules étoiles se sont allumées.

— Ils avaient sûrement une bonne raison de partir, ai-je marmonné en me levant pour aller admirer la nue à la porte de la grange. Phœnix était là, avec les autres. Les Revenants existent bel et bien.

Le vent emportait les nuages en direction du pic d'Amos. Maintenant, le ciel paraissait immense, la Voie lactée formait une traînée incurvée de lumière pâle dans l'obscurité étincelante. Le monde n'était qu'un vague point dans un univers impossible à appréhender. Je me suis sentie aussi petite qu'un atome du grand dessein, mon chagrin invisible et sans importance.

Puis j'ai aperçu une étoile filante. Suivie d'une autre, spectaculaire. Et ainsi de suite. Quatre d'affilée – Jonas, Arizona, Summer et Phœnix.

Mes yeux se sont mouillés de larmes.

À l'aube, le ciel était complètement dégagé. Une lueur rose et un soleil doré montaient à l'est, au-dessus du pic d'Amos.

Chapitre 8

Avec le jour, l'espoir a repris du poil de la bête. Je suis devenue de plus en plus certaine que Phœnix ne serait jamais parti sans me dire au revoir.

L'affolement de la veille, au plus fort de l'orage, a disparu, et c'est réchauffée intérieurement que je suis sortie pour respirer calmement l'air frais du matin. La maison était apparemment étanche. Un coyote tout mouillé s'est glissé de sous le camion rouillé, son refuge pendant le pire de l'averse. Alentour bruissaient les feuilles des trembles, un son semblable à un joli souffle. Lorsque je me suis retournée en direction de la grange, les Revenants étaient là.

— Ensemble, nous sommes forts, ont-ils murmuré, mains nouées.

Les hommes étaient torse nu. Tous formaient un cercle resserré autour de Hunter, leur seigneur et maître, qui avait la tête baissée, les bras croisés sur le ventre. Il dirigeait l'incantation, dont ses vassaux reprenaient les paroles, tel un prêtre avec ses ouailles.

— Nous sommes plus forts que les cieux en guerre. Plus forts que l'éclair qui déchire la nue. Nous, les *Beautiful Dead*, nous réjouissons de notre force.

Mon regard s'est posé sur Phœnix, plus grand et plus beau que ses comparses, même quand il me tournait le dos pour contempler Hunter. Face à ses larges épaules portant la marque de la mort, là où la lame du couteau s'était enfoncée, j'ai été submergée par l'amour.

— Joins-toi à nous, Darina, a soudain dit Hunter en relevant les yeux pour les vriller sur moi.

Il ne semblait pas du tout surpris par ma présence. Phœnix s'est retourné et m'a ouvert ses bras. Je m'y suis ruée avec un soulagement sans égal. Il m'a serrée contre lui, j'ai enfoui mon visage dans son torse.

— Tu te doutais bien que je ne te quitterais pas comme ça, a-t-il chuchoté dans mes cheveux.

Inclinant la tête en arrière, j'ai acquiescé du menton.

— Que s'est-il passé ? C'est à cause de la tempête ?

— La puissance électrique d'un orage est trop violente pour nous, a-t-il expliqué de sa merveilleuse voix grave. Elle nous prive de nos pouvoirs.

— Où vous êtes-vous réfugiés ?

Je tâchais de dissimuler ma joie aux autres, surtout à Arizona, qui me toisait d'un air condescendant.

— Nous avons été contraints de regagner les limbes, est intervenu Jonas. En attendant que ça passe.

— Et que se serait-il produit si vous étiez restés quand même ?

Je me suis rendu compte que ma question les dérangeait. Summer a fixé le sol avec morosité, cependant que Donna, Ève et Iceman se détournaient du cercle.

— Comme te l'a dit Phœnix, s'est dévoué Hunter, nos pouvoirs s'estompent en cas d'orage. C'est définitif. Si nous n'étions pas partis, nous aurions été bloqués sur l'autre versant pour toujours.

J'ai serré la main de mon chéri avec insistance.

— Pourquoi ne me l'as-tu pas précisé ? lui ai-je lancé, étonnée. Nous pourrions vivre ensemble !

— Nous, nous, nous ! a raillé Arizona. Raconte-lui la suite, Phœnix !

— Nous perdons nos pouvoirs et sommes condamnés à l'exil ici, a-t-il obéi sans oser me regarder.

— Comment ça, « condamnés » ?

Pourquoi ce terme négatif ? Après tout, il m'aimait, et je l'aimais. Un coup d'œil sur son visage m'a amenée à soupçonner qu'il ne désirait pas que je sois au courant de cette vérité-là.

— Lorsque nous devenons incapables de regagner les limbes, de drôles de trucs ont lieu, a-t-il marmonné.

— Quels trucs ?

J'ai remarqué que Summer et Jonas s'étaient eux aussi éloignés du cercle. Seuls Hunter et Arizona s'attardaient, à présent.

— Si nous sommes piégés ici, nous ne pouvons plus nous régénérer, a poursuivi Phœnix, les sourcils froncés.

Il m'a fallu un moment pour saisir les implications de cette information. Ensuite, j'ai étouffé un petit cri.

— Je te rappelle que nous sommes morts ! a lancé Arizona, toujours prête à me malmener. Un zombie coincé sur l'autre versant ne dure pas longtemps. Une semaine tout au plus.

— Oh !

Je regrettais maintenant de ne pas être en mesure de ravaler ma question. Un grand froid m'a serré le cœur, j'ai frissonné.

— Nous commençons à nous décomposer dès le premier jour, a enchaîné Arizona, impitoyable. Nos yeux se couvrent d'un film, nous devenons aveugles. Nos jointures se délitent, nous bougeons plus lentement.

— Je t'en prie ! ai-je plaidé.

— C'est toi qui voulais savoir, a-t-elle répliqué. Le deuxième jour, les plaies ouvertes se mettent à pourrir.

— Ça suffit, Arizona ! est intervenu Hunter en avançant d'un pas. C'est la raison pour laquelle l'autre versant s'est forgé cette image de nous, a-t-il ajouté à mon intention, d'une voix qui m'a semblé plus aimable qu'avant. Les monstres privés de cervelle qui se nourrissent de chair humaine. Tranquillise-toi, Darina, je veille sur ceux dont j'ai la charge. Je ne permettrai pas que ça leur arrive.

Retrouvant mon souffle, j'ai opiné. Ce qu'avait raconté Arizona me dégoûtait, et des bouts de films d'horreur encombraient ma tête.

— Vous me promettez de veiller sur Phœnix ? l'ai-je supplié.

— Je te le jure. D'ailleurs, tu as constaté que je l'ai protégé de l'orage d'hier soir, non ?

— Merci. Vraiment, merci.

C'était l'automne, période des tempêtes, lorsque des courants d'air chaud montant du golfe du Mexique se heurtaient aux courants d'air froid des montagnes. Je savais que, d'ici peu, nous aurions droit à un nouveau déchaînement des éléments. Après m'avoir dévisagée avec calme, Hunter a remis sa chemise grise, qu'il avait coincée dans la ceinture de son jean noir. Puis, avec Phœnix et Jonas, il m'a entraînée à l'écart.

— Tu apportais des nouvelles ? s'est-il enquis.

— Oui. Il s'agit de Matt Fortune. Jonas, d'après Zoey, Matt t'en voulait et essayait de la récupérer. T'en souviens-tu ?

Il a hoché la tête.

— Il a tenté de gâcher les choses à quelques reprises, oui. Il se comportait comme s'il pouvait réintégrer la vie de Zoey quand bon lui semblait. Il est comme ça. Je n'y ai pas prêté beaucoup d'attention.

Cela confirmait l'idée que j'avais commencé à me faire du tableau.

— Parce que c'était sérieux entre toi et Zoey. Par conséquent, il ne représentait pas une réelle menace. Est-il vrai qu'il a voulu t'entraîner dans une bagarre ?

Encore une fois, Jonas a acquiescé.

— J'amenais ma moto à réparer. Nous étions devant le garage de Charlie quand il m'a balancé un coup de poing. Je ne suis pas du genre à me battre.

— Comment as-tu réagi ?

— Je me suis baissé. Il y avait mis tant d'élan qu'il a perdu l'équilibre et s'est affalé sur sa Tourer, qui est tombée par terre. En entendant le bruit, Charlie s'est précipité dehors. Moi, j'ai enfourché ma bécane et je suis parti.

— Une Harley abîmée et un ego blessé, a commenté Phœnix.

— Attends, il y a mieux. Lorsque Zoey s'efforce de se rappeler le jour de l'accident, elle bloque sur les détails et ne voit que le visage de Matt. Il est là, au milieu de la souffrance et du traumatisme, il refuse de s'effacer.

— Sait-elle pourquoi ? a lancé Phœnix.

— Non. Elle le chasse de toutes ses forces, en vain. Ça la rend folle.

— Voilà qui ne me plaît pas, a soupiré Jonas. Je t'avais demandé d'y aller mollo avec elle.

Il avait l'air du père de Zoey, là. Sauf que, pour lui, je pigeais.

— Tu veux que j'abandonne ?

Quatre jours avant l'année qui lui était impartie. On était à la fois si proches et si loin du but. Un lourd silence s'est installé, j'ai eu l'impression que nous étions dans une impasse. Puis Summer nous a rejoints, elle a passé un bras autour des épaules de Jonas.

— Sois fort, lui a-t-elle conseillé. La vérité fera mal, nous l'avons toujours su.

Je ne m'étais pas attendue à cela de sa part. Elle paraissait trop souple, comme les herbes secouées par le vent, et trop douce pour prendre ce genre de résolution. Mais il est vrai que les Revenants avaient mis tous leurs espoirs en moi et souhaitaient que je réussisse.

— Je suis désolée, ai-je dit à Jonas. Je n'ai parlé à Zoey que de ce qu'elle raconte à sa psy. Que ce soit avec moi ou avec le Dr Reiss, elle souffre.

— Si c'est trop difficile pour elle en ce moment, nous devrions nous intéresser à Matt Fortune, est intervenu Hunter. Du moins, si nous croyons qu'il a joué un rôle quelconque.

— Mon instinct me dit que oui, ai-je répondu après une minute de réflexion. Les faits m'échappent encore, mais Matt cache quelque chose. Il est trop hostile lorsque je l'interroge. Et voilà qu'il projette un hommage pour mardi, sous la forme d'une procession. Ça ne lui ressemble pas du tout...

— Un instant ! m'a coupée Hunter. Raconte-nous ça.

Je me suis exécutée, sans rien omettre des détails – le trajet, les fleurs, Bob Jonson, etc. Jonas a baissé la tête et fermé les yeux.

— Je t'en supplie, a-t-il soufflé, épargne ça à Zoey.

— Ne t'inquiète pas. Quoi qu'il en soit, ses parents ne l'autoriseront pas à s'y rendre.

De cela, j'étais sûre à cent pour cent.

— Et tu as estimé que Jonas avait besoin d'être au courant, Darina ? m'a agressée Arizona, qui s'était rapprochée de notre petit groupe et avait tout entendu au sujet de la cérémonie commémorative. Il se sent comment, là, à ton avis ? C'est pire que lire son propre avis de décès !

Hunter a calmé le jeu et nous a ramenés à l'essentiel.

— Concentrons-nous sur Matt. Vois-tu un moyen d'arracher la vérité à ce type, Darina ?

— Sans pour autant recourir à des manœuvres qui te dépasseraient, a aussitôt précisé Phœnix.

— J'ai une idée ! s'est écriée Arizona. Il suffit d'avertir les flics, de leur dire que tu soupçonnes Matt.

Sa proposition était absurde, et elle en avait parfaitement conscience. C'était sa façon à elle de me mettre le nez dans mon caca.

— « Hé, shérif, vous vous êtes gouré ! » a-t-elle enchaîné, en se lançant dans une pantomime ridicule. « Ce n'est pas Jonas Jonson qui s'est tué et a blessé sa copine, c'est Matt Fortune ! » « Des preuves », aboie l'officier. « Ben, shérif, c'est mon instinct qui me dit qu'il est coupable. J'ignorais que vous aviez besoin de preuves. »

— La ferme, Arizona ! s'est impatienté Hunter (pour la première fois, à ma connaissance). Je t'aurais prévenue, compris ?

— Pas de souci, je suis capable d'encaisser, ai-je répondu. Et puis, elle a raison. Il sera difficile de démonter la version officielle de l'accident. L'enquête a apporté des réponses claires, personne n'aura envie de la remettre en question.

— Sauf le père de Jonas, a souligné Hunter. Lui ne se contente pas de solutions faciles. Il a deviné qu'il y avait autre chose.

— Je veux que vous arrêtiez tout, a soudain lancé Jonas, le visage tiré, les yeux tourmentés. Ce que nous faisons n'est pas bien. Je blesse les gens que j'aime.

Summer a serré fort sa main. Elle ne comprenait que trop bien la douleur qu'il éprouvait.

— Zoey et ton père souffrent déjà, a murmuré Hunter après un long silence. Mais c'est ton choix. Tu as le droit de tout laisser tomber si tu le souhaites. Est-ce vraiment ce que tu désires ?

Me mordant les lèvres, j'ai contemplé les traits de Jonas déformés par le chagrin, dans l'attente de sa réponse.

— Pense à ensuite, est intervenue Arizona d'une voix douce à peine reconnaissable. Si tu renonces maintenant, c'est la fin. Tu n'auras pas de seconde chance.

« Et la vérité mourra avec toi », ai-je songé. J'avais envie qu'il se batte.

— Zoey est plus résistante que tu te l'imagines, ai-je soufflé. Comme bien des gens.

Il m'a regardée en clignant des paupières.

— Elle a besoin de savoir, ai-je insisté.

Il a hoché la tête.

— C'est un oui ? a demandé Arizona.

Phœnix me raccompagne à ma voiture. En cet instant où il n'y a ni futur ni passé, je suis parfaitement heureuse.

Des fois que je ne vous l'aurais pas redit récemment, je l'aime.

Je l'aime !

Mon cœur éclate de joie. Je suis une explosion de bonheur.

— Promets-moi d'être prudente, a exigé Phœnix quand nous sommes arrivés à ma voiture.

La capote était toujours baissée, les sièges en cuir détrempés par la pluie nocturne fumaient doucement sous le soleil du matin.

— Tu m'écoutes, Darina ? Évite de mettre la pression à Matt. Pas directement, du moins. C'est trop risqué.

Je l'ai embrassé, vibrant au contact de ses lèvres douces et fraîches, envahie par une bouffée d'émotions indescriptibles. D'aussi près, à travers les battements de mes cils, ses traits étaient flous. Seuls ses yeux clairs plongeaient distinctement dans les miens.

— Pas de bêtises, OK ? a-t-il murmuré.

— Chut !

Une fois encore, nous devions nous séparer, et je repoussais ce moment, avide de baisers supplémentaires.

— Je ne réussirai pas à me reposer tant que tout cela ne sera pas terminé, a-t-il chuchoté.

— Et alors ? Les Revenants ne dorment sûrement jamais.

— C'est vrai, a-t-il opiné en s'écartant. Brandon a du goût, en matière de bagnoles, a-t-il ajouté en riant.

Cette réflexion m'a ramenée à la réalité.

— Elle me plaît, ai-je avoué. Sauf que je n'ai pas encore trouvé d'excuse officielle pour expliquer pourquoi Brandon Rohr m'offre une décapotable rouge flambant neuve.

— Que les gens se posent des questions, tu t'en moques. Et rappelle-toi que mon frère sera là pour toi en cas de besoin.

J'ai sorti mes clefs de mon jean.

— Je n'oublierai pas quand Laura me massacrera pour avoir découché cette nuit.

— Aura-t-elle imaginé le pire ? a-t-il demandé en souriant d'un air un peu penaud.

— En tout cas, elle ne pourra pas se dire que j'ai passé la nuit avec toi. Bon, je dois filer.

Il m'a enlacée une dernière fois.

— Je suis là pour toi aussi, a-t-il soufflé. Même si tu ne me vois pas toujours.

— Aie confiance en moi. Et souviens-toi que je t'aime, que je n'aime que toi.

— J'étais chez Jordan, ai-je menti à Laura. Où est le problème ?

Elle n'était pas allée au boulot, folle d'inquiétude, avait téléphoné à quasiment tous les numéros référencés dans l'annuaire d'Ellerton.

— Darina, tu ne peux pas t'absenter toute une nuit sans me prévenir.

— Excuse-moi.

— Pourquoi ne m'as-tu pas appelée ?

— J'avais épuisé mon crédit. J'ai oublié.

— J'ai cru que tu avais eu un accident. Cette voiture est très puissante. Et puis, il y a eu l'orage. Jim et moi avons veillé, nous attendant à chaque instant à ce que la police sonne à la porte pour nous annoncer le pire.

— Désolée ! Arrêtons d'en parler, OK ?

Il fallait que je me change et que je parte au lycée afin de voir Matt. Mais Laura était trop furieuse pour m'écouter.

— J'ai même contacté les Rohr ! Pour savoir si tu étais avec Brandon.

— Tu rigoles ?

J'ai foncé dans ma chambre, dont j'ai claqué la porte derrière moi.

— Et que veux-tu que je pense, hein ? a-t-elle braillé dans mon dos. Ce type t'offre une décapotable alors que ce n'est même pas ton anniversaire !

Me retrouver au bahut, agir normalement m'a donné une impression très étrange. Les profs m'ont demandé de leur rendre des devoirs que je n'avais pas faits, celle de maths s'est assurée que je n'allais pas recommencer à m'évanouir pendant son cours, mes amis ont évité de me poser des questions.

— Regardez un peu la voiture de Darina ! a roucoulé Hannah.

C'était la fin des classes, elle, Jordan, Lucas et moi regagnions le parking. Jordan en pince pour Lucas, mais il s'en moque comme de sa première chemise. Enfin, c'est une autre histoire.

— Tu l'as payée avec quoi ? s'est-il exclamé avec un sifflement admiratif.

— Tu m'emmènes en balade ? a suggéré Jordan.

Je me suis attardée sur place, heureuse de toute cette attention, une fois n'est pas coutume. Je savais que Matt Fortune ne tarderait pas à se joindre à nous. Ça n'a pas raté. Il s'est pointé avec Logan et Christian. Il s'est comporté comme si notre altercation devant le 7-Eleven ne s'était jamais produite, pérorant à propos de ma bagnole d'enfer comme s'il en connaissait le moindre boulon, piston, bougie ou joint. Un mec, quoi.

— Vous voulez faire un tour ? leur ai-je proposé, à lui et à Logan.

Je ne tenais pas à ce que mes copains se mettent des idées fausses dans la tête sur Matt et moi. J'envisageais de larguer Logan chez lui avant de filer au centre-ville avec le seul Matt. Il n'a pas été nécessaire de le leur répéter deux fois, et je me suis éloignée avec eux sous les regards envieux de Hannah, Christian, Jordan et Lucas. Comme j'avais confié à Jordan que Matt m'avait forcée à m'arrêter la veille pour me rentrer dans le lard, elle était encore plus ébahie que les autres.

Assis sur le siège passager, Matt était avachi contre son dossier. À l'arrière, Logan ne pipait mot. Il devait se demander pourquoi j'avais invité mon pire ennemi.

— Où en êtes-vous, pour mardi ? me suis-je enquise à un feu rouge.

— Ça se précise, a répondu mon voisin en me jetant un coup d'œil en douce, sans tourner la tête.

— Excuse-moi de t'avoir cherché, hier, ai-je continué en m'efforçant d'avoir l'air sincère.

Pour ça, j'ai recouru à ce que j'avais appris en cours de théâtre.

— Est-ce que ça veut dire que tu y seras ? a-t-il voulu savoir.

— Compte sur moi. Roses rouges et tout le toutim. Et toi, Logan ?

— Sûr. Je viendrai avec Lucas.

— Cool. Charlie a-t-il accepté de vous prêter des Harley pour l'occasion ?

Ma question s'adressait à Logan, mais Matt s'est empressé de répondre à sa place.

— Mon frangin trouve l'idée géniale. L'événement concerne toute la ville. Alors, ouais, il fournira les bécanes.

Mon idée était d'amener Matt à se concentrer sur cette conversation, et ça marchait comme sur des roulettes.

— Tu en as parlé à Bob Jonson ? ai-je poursuivi. Comment a-t-il réagi ?

— Mal. Il s'est effondré et a chialé comme un bébé.

— Il ne va pas bien, a marmonné Logan.

— N'empêche, il a complètement adoré, a enchaîné Matt. Il a dit que ce serait un honneur de conduire la procession. Un véritable honneur.

Il avait maintenant perché ses panards sur le tableau de bord, son bras droit pendait négligemment par-dessus la portière. Tournant dans une rue latérale, je me suis garée devant chez Logan. Installé sur la véranda, son père buvait une bière en compagnie de Bob Jonson en personne. Quel hasard !

— Bonjour, Bob ! a lancé Matt avec décontraction et un vague geste de la main.

Dans le rétroviseur, j'ai observé Logan qui descendait de voiture. Il avait l'air d'avoir avalé un citron. Il s'est éloigné sans un au revoir.

— Matt !

Bob a levé sa bouteille en guise de salut. Ses mouvements étaient maladroits, peu assurés.

— Encore bourré, a marmonné mon passager.

Puis il m'a ordonné de déguerpir avant que Bob ne titube jusqu'à nous.

— J'espère qu'il sera sobre d'ici mardi, a-t-il ajouté.

Je suis repartie en essayant de gérer la répulsion que m'inspirait Matt, sa vanité surtout, qui lui permettait de se croire autorisé à me donner des ordres.

— Un café, ça te tente ? ai-je proposé en entrant sur le parking du centre commercial.

— Tu es sérieuse ?

Lui adressant un sourire boudeur, j'ai ébouriffé mes cheveux.

— Depuis quand refuses-tu ce genre d'offre ? ai-je riposté.

Éclatant de rire, il a sauté dehors, attendant à peine que je me sois arrêtée.

— Depuis quand tu ne me détestes plus, Darina ?

— Je ne t'ai jamais détesté, ai-je menti. (Quel talent !) Simplement, je viens de passer une sale période.

— À cause de Phœnix ? a-t-il lancé en entrant dans le premier café, le Starlite, où il a commandé deux cappuccinos sans même me demander mon avis.

« Évidemment, crétin ! »

— Après l'enterrement, ça a été difficile. J'ai dû me comporter bizarrement, j'en ai conscience.

Nous sirotions nos boissons. Bien que Matt ait baissé la garde, il fallait que je procède avec doigté.

— Montre-moi une seule fille qui ne soit pas bizarre, a-t-il commenté. Tu continues à discuter avec Zoey ?

— Tu rigoles ? (Tentative de sourire pincé, haussement d'épaules.) Elle est encore plus folle que moi.

— Dans quel sens ?

Derechef méfiant, il me contemplait de sous ses gros sourcils, à travers ses paupières à demi fermées.

— Elle raconte n'importe quoi.

— Genre ?

— Qu'elle voit Jonas qui la regarde d'en haut, qui lui demande si elle va bien, alors que tout le monde sait qu'il est mort sur le coup. Je lui ai dit que c'était lié à son syndrome SPT.

Il était clair que Matt ignorait complètement ce que ça signifiait.

— Stress post-traumatique, ai-je donc décrypté à son intention. Elle a le cerveau en capilotade. Elle n'a aucun souvenir de ce qui s'est produit.

De nouveau, il s'est détendu.

— Ne parlons plus d'elle, a-t-il décidé en glissant sur la banquette en similicuir pour se rapprocher de moi. Tu es plutôt cool, Darina, tu en as conscience ?

Là, les mots étaient inutiles. Je me suis bornée à battre des cils et à faire la moue. Vu le résultat, je méritais un oscar.

— Tu n'es pas conformiste, ça me plaît, a-t-il continué. Ce n'est pas comme Zoey.

— Je croyais qu'on laissait tomber ce sujet ?

Il y a moins de douze heures, j'étais en compagnie de Phœnix, au septième ciel. À présent, je devais supporter Matt et me retenir de vomir.

— Tu as raison. Elle a eu sa chance, elle l'a gâchée. Mais toi, pourquoi m'as-tu résisté ?

Il avait le bras sur le dossier du siège, et sa main rampait sur mon épaule nue. Beurk ! Inutile en tout cas de gaspiller ma salive en développant sur la loyauté entre amies.

— Tu veux la vérité ? ai-je minaudé. Je ne te prenais pas au sérieux, Matt. Je croyais que tu jouais dans une autre cour que la mienne.

Matt Fortune était insensible à l'ironie. Sa mère l'avait peut-être fait vacciner contre, en même temps que contre la rubéole et la varicelle. Il me pelotait carrément l'épaule, maintenant.

— Et puis, je ne voulais pas souffrir, ai-je ajouté. Je pensais que toi et Zoey vous remettriez ensemble.

— Elle était déjà cinglée, à l'époque, a-t-il murmuré en se penchant pour jeter un coup d'œil dans mon corsage. (Apparemment, il a été déçu.) Même si je lui ai proposé qu'on renoue.

— Une vraie tarée, ai-je acquiescé. Tu as perdu combien de temps, avec elle ?

— Trop. Je traînais près de chez elle, je lui répétais que son Jonas était un looser.

— Tu as raison. (Attention ma fille, inutile d'en rajouter.) Elle a peut-être été séduite pas sa Dyna ?

— Pff ! a éructé Matt en s'adossant à la banquette. Quelle frime ! La Dyna, ce n'est rien à côté de ma Tourer FLXH. Ça, c'est de la bécane !

J'y étais ! Je venais de dénicher l'unique émotion que recelait ce cœur sombre. La jalousie. Il ne me restait plus qu'à faire monter la mayonnaise.

— Ce Jonas, il avait l'air ridicule, là-dessus, ai-je donc dit. Ce n'était pas un vrai motard.

— Ne m'en parle pas ! Un pauvre amateur. Tu nous aurais mis en compétition, lui et moi, je te l'aurais dégommé en moins de deux.

J'ai retenu mon souffle.

— Tu ne l'as jamais défié à la course ? Tu as gagné ?

— À ton avis ? a-t-il éludé, sournois. Sois réaliste, même si ça avait été le cas, tu crois que je l'admettrais devant toi ?

« Du calme. Doucement, doucement. N'écarte pas la sale paluche qui rampe en direction de ta clavicule. »

— Oh, je comprends ! C'est illégal ! Les limitations de vitesse, ce genre de trucs. N'empêche, tu l'as fait, hein ?

Le cerveau de Matt s'est lourdement mis en branle. Des signaux de sécurité se sont allumés. Risque majeur. Arrêtez tout.

— Tu n'es pas obligé de me répondre, ai-je rigolé.

Hélas, il était trop tard. Il s'est levé si brutalement que ses genoux ont heurté le dessous de la table, renversant nos cafés.

— On ne me piège pas comme ça, espèce de petite traînée ! a-t-il rugi.

Wouah ! Tous les clients ont tendu l'oreille. Les plus proches ont quitté leurs sièges, la serveuse a décroché le téléphone.

— Salope ! a hurlé Matt.

La jalousie, et maintenant une fureur animale. Plutôt répugnant. Me tirant de la banquette, il m'a poussée en direction de la sortie. Vous parieriez combien sur l'intervention d'un quidam, vous ? Exact. Inutile de gaspiller votre fric. Les gens se sont empressés de détourner les yeux. Même la serveuse a retenu son appel.

Dehors, Matt a continué à m'enguirlander. Ses insultes se sont transformées en gestes, et il m'a balancée contre une rangée de chariots, juste devant l'épicerie.

— Sale petite traînée !

Décidément, il avait un vocabulaire des plus limités. Obligé de se répéter, il s'échauffait de plus en plus, au point que je me suis dit qu'il n'allait pas tarder à m'écrabouiller la cervelle comme un œuf, à moins que j'arrive à me sauver. Choquée par sa rage et sa violence, je suis parvenue à me faufiler entre les chariots et à me baisser. La chaîne qui les retenait a cliqueté. Croyant que Matt s'était empêtré dedans, j'ai couru à ma voiture. Quand je me suis retournée, j'ai constaté que Brandon Rohr secouait mon agresseur par le cou.

— Tu la touches encore une fois, tu es mort ! s'est-il époumoné avec une telle violence que le monde entier a dû l'entendre.

Matt ne semblait plus aussi fort, maintenant. Ni aussi cool. Il ressemblait à une marionnette suspendue entre les mains de Brandon, écrasée contre la vitrine du magasin, muette.

Il était grand temps que je me pose des questions. Avais-je plongé dans le grand bassin sans savoir nager ? Avais-je gâché les choses au point que je n'obtiendrais plus rien susceptible d'aider Jonas ?

Minuit est le moment idéal pour craquer, surtout quand vous vous êtes accrochée avec Laura moins de deux heures auparavant.

— Que nous est-il arrivé, Darina ? Nous étions si proches. Quand est-ce que notre relation a commencé à s'effriter ?

Boooh ! Je meurs !

Encore secouée par l'épisode Matt Fortune, je l'avais laissée me tomber dessus. Moi aussi, je pleurais tout en m'excusant, puis elle s'était excusée à son tour, et nous avions fini dans les bras l'une de l'autre en nous jurant de faire des efforts chacune de notre côté. Elle était allée se coucher le cœur léger. Moi, je me sentais nulle.

J'avais tout foiré, me suis-je seriné dans l'obscurité de ma chambre. J'avais réussi à faire de Matt mon ennemi, je m'étais crue plus maligne que je ne l'étais en réalité. Je pensais être capable de communiquer avec des zombies, nom d'un chien !

J'en étais à me demander s'il n'aurait pas mieux valu que je n'entende pas claquer la porte de la grange de Foxton et que je ne retrouve jamais Phœnix. Enfouissant ma tête dans l'oreiller, j'ai essayé d'écarter ces réflexions idiotes. Lorsque j'en suis sortie pour respirer, j'ai senti une présence dans la pièce.

— Qui est là ? ai-je chuchoté.

Des ombres se déplaçaient le long des murs. Pas un bruit, sinon celui d'une respiration mesurée et l'impression de prunelles qui m'observaient. Et, peut-être de faibles battements d'ailes, mais je ne l'aurais pas juré.

— C'est toi, Phœnix ?

— Veux-tu que je m'en aille ?

Si je l'entendais, je ne le voyais pas.

— Qu'est-ce que... Tu lis dans mes pensées, maintenant ?

— Oui, a-t-il reconnu. Si tu préfères, je peux filer et ne plus revenir.

— Tu n'as pas intérêt, Phœnix Rohr !

Sautant du lit, j'ai allumé la lumière.

— Et matérialise-toi ! Tout de suite !

Je regardais dans la mauvaise direction quand il a obéi. Le phénomène m'a amenée à me tourner vers la porte, où une silhouette vacillante s'est peu à peu solidifiée, dessinant le corps mince de Phœnix, son visage blanc, ses cheveux noirs et, enfin, ses yeux gris-bleu.

— Tu regrettes vraiment de m'avoir retrouvé ? a-t-il lancé.

Aïe !

— Moi et mes idées stupides, ai-je soupiré. J'étais seule dans le noir. J'étais comme une petite fille effrayée, rien de plus.

Il a secoué la tête, ne s'est pas approché de moi.

— Je le comprendrais, si c'était le cas.

— Non ! J'étais juste pas bien. Ce n'était pas sérieux.

« Je t'en prie, crois-moi ! »

— Tu as déjà tant accompli, Darina. Mais tu as le choix. Si tu souhaites reculer maintenant, personne ne te le reprochera. Hunter viendra si je l'appelle. Il a décrété qu'il était le seul à avoir le droit d'effacer ta mémoire. Ainsi, tu oublieras tout de nous.

Pour le coup, j'avais vraiment les jetons, plus comme une petite fille seule dans l'obscurité. Mon cœur cognait dans ma poitrine.

— Et après ? Comment Jonas arrivera-t-il à ses fins ? Il ne lui reste que jusqu'à mardi.

— Ce n'est pas ton problème.

Enfin, Phœnix a avancé vers moi et s'est emparé de mes mains.

— Si Hunter s'occupe de toi, a-t-il repris, tu n'auras aucun regret. Et, comme je te l'ai déjà dit, tu auras encore les bons souvenirs de nous deux, avant que...

Il s'est interrompu, m'a contemplée avec gravité et douceur, ses doigts tremblant dans les miens.

— OK, Monsieur le devin, ai-je contre-attaqué en le regardant bien en face. Que lis-tu ?

« Je veux être avec toi. Je ne veux jamais te quitter. Ta définition de l'amour est juste, il est dans tout ce que nous touchons et voyons. Reste avec moi. »

Lentement, un sourire a étiré ses lèvres, un éclat a illuminé ses prunelles.

— Je comprends, a-t-il soufflé.

Chapitre 9

Nous étions assis sur mon lit. Pendant ce qui a semblé une éternité, les mots ont été inutiles.

— As-tu enfin appris à arrêter la course du temps ? ai-je fini par demander.

— Tu voudrais que je le fasse ?

— Oui.

— Et un temps suspendu, un !

— Ajoutez-y des frites mais pas de mayo !

Morts de rire, nous sommes tombés à la renverse. Jamais je ne m'étais sentie aussi en sécurité que dans ses bras, sous sa protection aimante.

— Brandon a joué les gros durs, ai-je dit en me blottissant contre Phœnix. J'imagine que tu as assisté à la scène ?

Me lâchant, il s'est allongé, un bras sous la nuque.

— Mon frère est un spécialiste du genre.

— C'est pour ça qu'il a fini en prison ?

Cela m'avait toujours intriguée, sauf qu'un casier ressemble à une maladie honteuse – les gens polis et bien élevés évitent de poser des questions. À présent, j'avais envie d'en savoir plus.

— Oui, quelque chose comme ça.

— Il s'est battu ?

— Lorsqu'il était encore au bahut, il dérapait souvent. Avec notre mère, avec les profs. Rien que des bêtises de jeunesse, en général. Mais à la fin, il était en colère.

— Qu'est-ce qui avait changé ?

Phœnix s'est tortillé pour placer ses deux mains derrière sa tête.

— Il a grandi. Ou pas, ça dépend du point de vue. Il était costaud, physiquement, et il se mettait vite en pétard. Deux gars l'ont chauffé à propos d'une fille. Ils ont raconté qu'elle était mineure, ce qui était faux, ils l'ont accusé de les prendre au berceau. Il a pété un plomb.

— Une fille ! me suis-je exclamée, surprise. Mais je n'ai jamais vu ton frère en fréquenter une !

— Justement à cause de cette histoire. Pour lui, les nanas sont synonymes d'ennuis.

Approche-les, et tu termines dans une maison de correction pour neuf mois.

— Alors que si tu restes entre mecs, il te suffit d'être le plus musclé, et tout se passe bien, ai-je deviné. Quoi qu'il en soit, il tient ses promesses.

— Pour ce qui est de veiller sur toi, oui.

Roulant vers moi, Phœnix s'est appuyé sur un coude et m'a dévisagée.

— À ton tour de m'en faire une, de promesse, a-t-il ajouté.

— D'accord.

— Si tu veux continuer ta mission, méfie-toi de Matt Fortune. Ne t'approche pas de lui, OK ?

— Rien de plus simple, c'est un débile. Le peu de cerveau qu'il possède lui a pourtant suffi à deviner où j'allais. C'est là que sa culpabilité l'a emporté, et qu'il a perdu son calme.

— Lui as-tu au moins arraché quelque chose de neuf ?

— Il a refusé de l'admettre, mais je crois bien qu'il a lancé un défi à Jonas. Histoire de rouler des mécaniques devant Zoey, peut-être.

Phœnix n'a pas commenté, attendant que je mette mes idées en ordre. Idées qu'il était sûrement capable de déchiffrer tout seul, d'ailleurs.

— Quand j'ai insisté, il s'est fâché. Désormais, il ne me dira plus rien.

— D'autant que Brandon est intervenu.

— Nous sommes dans une impasse, ai-je soupiré. Sans compter que, une fois à la maison, j'ai dû prendre une douche pour me laver des attouchements de Matt.

— Désolé.

Le silence est retombé. En bas, la porte d'entrée s'est ouverte et refermée sur Laura et Jim. Leurs voix détendues nous sont parvenues, ainsi que des bruits indiquant qu'ils se préparaient une boisson chaude dans la cuisine. Jim a indiqué qu'un café l'empêcherait de dormir, ce à quoi Laura a répondu avec un rire entendu que ce ne serait pas une mauvaise chose.

— Il faut que nous parlions plus bas, ai-je averti Phœnix. Les murs sont fins comme du papier à cigarette, ici.

— J'ai une nouvelle importante, a-t-il chuchoté en s'asseyant au bord du lit. Hunter a un nouveau plan.

Je me suis installée à son côté.

— Tant mieux, parce que moi, c'est le désert.

Les mains entre les genoux, il a longuement réfléchi.

— Mieux ou pire, je ne sais pas, a-t-il fini par commenter. En tout cas, il ne nous en parle pas. Sans doute pour éviter que nous en discutions avant qu'il ne soit prêt.

— Hunter est un grand démocrate, ai-je ironisé.

— Il est notre suzerain. Il a demandé à te voir. Demain matin, tôt.

— J'y serai.

À ce moment-là, Laura et Jim sont montés, et il a été temps pour Phœnix de partir. Après m'avoir embrassée sur les lèvres, il a reculé et s'est renfermé sur lui-même, tournant sa concentration à l'intérieur de lui – c'est difficile à décrire. Quoi qu'il en soit, il était toujours visible, mais son esprit n'était plus là et, bientôt, sa silhouette a miroité en vacillant, les détails se sont effacés, remplacés par un halo, les battements d'ailes ont résonné, jusqu'à ce qu'il se dissolve et que je me retrouve seule dans la pièce.

Après ça, aucune chance que je m'endorme.

Allongée, les yeux ouverts, j'ai écouté les bruits de la vie nocturne : les écureuils grimpant sur le toit, les poutres en séquoia qui craquaient. À l'aube, deux geais bleus se sont perchés sur la rambarde de la véranda.

Je me suis vivement habillée et j'ai attendu que Jim emmène Laura au magasin – seule façon de sortir sans avoir à répondre aux questions habituelles et sans qu'ils devinent que j'étais super nerveuse et me passent au gril de l'inquisition. Mes doigts tremblaient tellement que j'ai eu du mal à boutonner mon corsage et à tirer la fermeture Éclair de ma jupe à carreaux.

J'ai filé au volant de ma décapotable, soulagée d'avoir réussi à décamper en douce, jusqu'au moment où, à trois cents mètres de la maison, Logan a surgi de derrière le coffre ouvert de sa voiture.

— Tu es bien matinale ! m'a-t-il lancé sur le badin d'usage entre voisins.

Des fois, ce Logan Lavelle donne l'impression d'avoir soixante-dix balais, pas dix-sept. J'ai été obligée de freiner à mort pour l'éviter.

— Tu te rends compte que j'aurais pu t'écraser ! ai-je braillé.

« Pourquoi maintenant, Logan ? S'il te plaît ! »

— Tu sais qu'on est samedi ? On n'a pas cours.

— Ha ! Ha ! Ha ! Je me suis levée tôt, et alors ?

— C'est super, a-t-il répondu en s'essuyant les mains sur un vieux torchon qu'il a balancé dans le coffre. J'ai besoin qu'on me conduise en ville pour acheter de l'huile.

J'ai retenu un gémissement. Hunter, le seigneur et maître des Revenants, m'avait convoquée, et voilà que je me retrouvais embarquée dans une aventure mécanique. Mais mieux valait accepter plutôt que d'éveiller les soupçons de Logan. De toute façon, le trajet jusqu'au centre était court et ne m'obligeait pas à un détour.

— Grimpe ! lui ai-je donc dit.

Nous sommes partis. Logan n'a pas tardé à jacasser comme une pie de tout et de rien. Le bon vieux Logan que je connaissais depuis toujours.

— Tu as fait le devoir de sciences nat' ? Tu savais que Lucas a enfin accepté de sortir avec Jordan ? Et devine un peu ! Bob Jonson est passé chez moi. Il est resté jusqu'à deux heures du mat', j'ai cru qu'il ne partirait jamais.

— Ton père et lui ont picolé toute la soirée ?

— Grosso modo, ouais. Mon vieux tient l'alcool, mais pas Bob. Il a fallu appeler un taxi pour le ramener.

— C'est du joli !

Sachant qu'on vendait de l'huile à la station-service, je m'y suis garée.

— Le temps est lourd, aujourd'hui, me suis-je plainte. Il n'y a pas un poil de vent.

— Le malheureux tenait à peine debout, a poursuivi Logan, ignorant mes commentaires météorologiques. Ils étaient assis juste sous ma fenêtre et n'ont pas arrêté de parler de Jonas, Jonas, Jonas.

— C'est triste, ai-je acquiescé.

« Il faut que j'y aille, Logan. Descends de la bagnole ! »

— Et de Foxton, a-t-il enchaîné.

C'est là que j'ai commencé à soupçonner que sa présence n'était pas due au hasard.

— Je n'ai pas compris grand-chose, a-t-il continué en m'observant de près, mais Bob est persuadé que Jonas est là-haut, du côté de la crête. Il jure l'avoir vu.

— Il était vraiment bourré, hein ? ai-je marmonné en déverrouillant la portière passager.

Il n'était pas question que je me laisse entraîner dans pareille conversation. Sauf qu'il est drôlement têtu, Logan.

— Il n'a peut-être pas tort, a-t-il insisté. Il l'a juré sur sa tête.

— D'après ma psy, tout le monde réagit comme ça à la disparition d'un être cher. On croit les apercevoir en chair et en os. Des fois, même, on leur parle.

— Ta psy ?

Pour lui c'était une nouvelle. L'idée était de le surprendre afin de faire dévier la discussion.

— Une initiative de Laura. À cause de Phœnix. Qui aurait cru qu'elle accepterait de payer les séances ?

— Je ne savais pas du tout, Darina.

— Le problème, c'est que les personnes souffrant de SSPT s'imaginent des trucs. C'est exactement ce qui arrive au père de Jonas. Il ferait mieux de laisser tomber la bibine et de consulter.

— N'empêche, et si c'était vrai ? a persisté Logan en s'adossant à son siège et en me regardant. (Il était évident qu'il cherchait à tester ma réaction.) Suppose que Jonas ne soit pas vraiment mort ?

— On l'a enterré, mon pote ! ai-je riposté avec un frisson. Il y a eu une autopsie et tout !

Il a inspiré un bon coup.

— Alors, à ton avis, qu'est-ce qui se passe, là-haut ? Faut-il qu'on commence à croire aux fantômes ?

— Crois ce que tu veux, Logan, ai-je répondu en fermant les yeux. Moi, je dois y aller.

— À Foxton ? a-t-il marmonné entre ses dents.

— Pourquoi dis-tu ça ? me suis-je emportée en abattant ma paume sur le volant.

— Désolé. Mais tu passes beaucoup de temps là-bas.

— Qu'en sais-tu ? Tu m'espionnes ?

— Pourquoi es-tu en colère contre moi, Darina ? Je ne pige pas.

— Je ne suis pas en colère, ai-je hurlé. Bon, tu l'achètes, ton huile ?

Il a changé de tactique.

— Depuis la mort de Phœnix, tu te comportes comme si tu détestais tous les mecs. Tu me repousses, alors qu'on se connaît depuis toujours. Tu as raconté je ne sais quoi à Matt, ça l'a rendu dingue. Oui, j'en ai entendu parler.

— Quoi ? Bon Dieu, cette ville fait suer ! Il suffit que tu respires, et tout le monde commence à déblatérer sur ton compte. Fiche le camp, Logan ! Tout de suite !

— Désolé, Darina, s'est-il excusé, stupéfait par ma rage. Je ne voulais pas...

— Que voulais-tu, alors ? ai-je répondu en m'efforçant de respirer plus calmement. Permets-moi seulement de préciser une chose : Matt Fortune m'a sauté sur le poil, et Brandon Rohr m'a tirée de là. Fin de l'histoire.

— Brandon Rohr, hein ? a-t-il répété en se renfrognant.

Cette fois, je me suis penchée et j'ai ouvert moi-même la portière.

— C'est quoi, cette remarque ? me suis-je époumonée. Pas de conclusions hâtives, mon vieux. Et maintenant, sors d'ici, Logan. File !

J'ai foncé à Foxton, droit vers un nouvel orage. Les nuages au-dessus du pic d'Amos étaient si gris que je humais presque l'odeur du tonnerre.

— Pas maintenant ! ai-je lancé à voix haute. J'ai rendez-vous avec un zombie d'importance, alors je n'ai pas besoin d'une tempête électrique !

Je suis sortie de la nationale, longeant la rivière. Une femme aux cheveux gris assise devant une des cabanes de pêcheurs m'a regardée passer d'un œil vague. J'étais sûrement la première voiture de la matinée qu'elle voyait. J'ai ensuite quitté la civilisation dans le nuage de poussière que soulevaient les roues sur la piste, virant sec à chaque lacet, m'élevant au-dessus d'un enchevêtrement de rochers et d'éboulis parsemé des sapins que le feu de forêt avait tordus et noircis. Des grosses gouttes de pluie se sont écrasées sur le pare-brise. Deux cerfs ont surgi d'un bosquet de saules, ont bondi pardessus le chemin et ont disparu dans une combe. J'ai poursuivi ma route en tressautant sur les ornières.

— Dix minutes avec Hunter, je ne demande rien de plus. Pitié, pas d'orage avant qu'il m'ait confié son nouveau plan !

Le ciel a semblé entendre mes prières, car la pluie a cessé. Après un bref merci, je me suis rangée et j'ai sauté hors de la voiture. Juste avant d'atteindre la crête, j'ai senti le champ magnétique qui entourait la résidence des Revenants. Ces millions d'ailes qui s'agitaient, ces millions d'âmes incapables de trouver le repos. Alors qu'elles m'avaient effrayée au début, elles me rendaient heureuse, à présent. J'ai couru jusqu'au réservoir avant de m'arrêter, hors d'haleine.

J'ai inspiré profondément tout en contemplant la vallée, espérant que ce serait Phœnix qui viendrait à ma rencontre pour me conduire à Hunter. Malheureusement, c'est Iceman qui s'est montré, alors que je le connaissais à peine. Environné des battements d'ailes, il a gravi la colline à grands pas, son regard tendu fixé sur moi.

— Hunter t'attend, m'a-t-il annoncé.

— Tout va bien ? ai-je demandé en sortant de l'ombre du réservoir.

— Tant que l'orage n'éclate pas, oui. Phœnix et Arizona se sont rendus au pic d'Amos afin de surveiller l'évolution des choses. Hunter est dans la maison.

Ensemble, nous avons dévalé la pente. Malgré sa petite taille, Iceman était agile. Il m'a vite distancé et a été obligé de m'attendre près de la clôture qu'ils avaient réparée.

— Désolée, ai-je haleté. Je ne suis pas en grande forme.

— Mais ça va ?

— Oui, allons-y.

Nous avons trottiné sur les dernières centaines de mètres, jusqu'à la ferme. Là, près de l'épave du camion, sachant que Hunter patientait à l'intérieur, mes nerfs ont brusquement lâché.

— Tu m'accompagnes ? ai-je dit à Iceman.

— Non. Hunter veut te voir seule.

— Et personne ne désobéit au chef, ai-je marmonné.

Le cœur battant, j'ai grimpé les marches du porche. Comme une imbécile, j'ai failli frapper à la porte.

— Entre, Darina ! a lancé Hunter sans m'en laisser le loisir.

Tournant la poignée, j'ai foncé dans l'antre du lion. Ce dernier était assis près de la cuisinière, tournant le dos à la porte. Ses longs cheveux gris pendaient sur son col. Lentement, son cou a pivoté, exposant son profil acéré – un front, un nez et des mâchoires puissants, des pommettes saillantes, la marque délavée de la mort visible à cause de la chevelure rejetée en arrière. J'ai avancé d'un pas, attendu. J'ai contemplé la poussière sur la table, les fêlures des assiettes vertes sur les étagères – l'histoire de Hunter. Au bout de deux minutes de silence environ, il m'a fait face et m'a observée comme s'il examinait une carte, contours et ombres, forme de mes lèvres, couleur de mes yeux. Le silence m'assourdissait, cent ans de poussière accumulée m'étouffaient.

— Phœnix m'a parlé d'un plan, ai-je croassé.

Il s'est levé, s'est approché, me dominant de toute sa taille.

— Seras-tu assez forte ? a-t-il murmuré.

Je n'ai pas flanché, alors que sans aucun doute possible il percevait la chamade de mon cœur.

— Mettez-moi à l'épreuve, ai-je répondu en soutenant son regard gris.

— Supportes-tu la douleur ?

J'ai respiré un bon coup, sans piper mot.

— Tu n'en sais rien. Tu es encore trop jeune.

— J'ai perdu Phœnix, lui ai-je rappelé. Pensez-vous à une souffrance pire que celle-là ?

— Va te poster à la lumière, m'a-t-il ordonné. Là-bas, près de la fenêtre.

J'ai obtempéré. Mon interlocuteur avait-il été tué dans cette même pièce, des années plus tôt ? Y avait-il du sang séché par terre ? J'ai inspecté le plancher.

— Non. Mentone ne m'a pas descendu ici. Ça s'est produit sur la véranda.

Flûte ! J'ai tressailli, fermé les paupières.

— Marie n'a rien vu. Elle était à l'intérieur. Et épargne-moi tes condoléances.

— Loin de moi cette idée, ai-je riposté en rouvrant les yeux.

— Pourquoi as-tu les cheveux courts ? a-t-il soudain demandé.

Cette question personnelle m'a presque plus perturbée que le reste.

— Pour me différencier des autres.

— Oh, tu n'as pas besoin de ça, a-t-il commenté en souriant, comme amusé par ma réponse. J'ai décidé de courir un risque, a-t-il poursuivi en redevenant sérieux. Je t'ai observée manœuvrer avec Matt Fortune. Un peu maladroite par moments, ainsi que l'avait prédit Arizona, mais pas sans audace.

— Ben... merci.

Mon pouls s'apaisait, je respirais plus normalement.

— La question est la suivante : la piste de Matt est-elle la bonne ?

— Absolument ! me suis-je écriée en oubliant ma peur. Je n'ai pas réussi à le lui faire admettre, mais je suis certaine qu'il a quelque chose à voir dans l'accident de Jonas.

Hunter n'a pas réagi immédiatement, plongé dans d'intenses réflexions.

— Matt Fortune est plutôt du genre extrême, a-t-il fini par lâcher, plus pour lui-même que pour moi. Antipathique, certes, ce qui ne fait pas pour autant de lui un assassin.

— Alors, pourquoi Zoey rêve-t-elle de lui ? Et pourquoi s'énerve-t-il quand je lui mets la pression ?

— C'est justement le pari que je suis prêt à prendre, a répondu Hunter, le front plissé. Te donner raison, partir du principe que Matt a été impliqué.

Il a vrillé son regard sur moi, cherchant mon point faible.

— Si tu te trompes, a-t-il enchaîné, Jonas perd sa dernière chance.

— Je ne me trompe pas.

— Très bien. Alors voici mon plan.

— Nous devons organiser une reconstitution de l'accident, a annoncé Hunter.

Après m'avoir exposé son stratagème, il avait attendu que Phœnix et Arizona reviennent du pic d'Amos. Puis il avait convoqué Jonas, Summer, Iceman, Ève et Donna pour une réunion. À l'instant où Phœnix est entré dans la pièce, j'ai eu l'impression que le soleil se levait au-dessus des nuages. Sa présence m'a rassérénée, je me suis détendue. Lui m'a adressé un immense sourire, comme s'il se sentait mieux aussi.

— Il faut que nous amenions Matt à rouler en moto sur la nationale, aussi près que possible du col de Turkey Shoot, a continué Hunter.

— Facile, a lâché Arizona. Il suffit d'attendre la procession de mardi.

— Exactement un an après les événements, a renchéri Summer qui se tenait juste à côté de Jonas pour le soutenir. Excellent timing.

— Que va faire Darina, pendant ce temps ? a demandé Phœnix, soucieux.

— Mettre la pédale douce, l'a rassuré Hunter. Elle ne s'exposera à aucun danger supplémentaire avant mardi, tranquillise-toi.

Mon amoureux a pris ma main. La sienne était grande, forte ; la mienne toute petite et perdue dans sa paume. Nos doigts se sont entrelacés.

— Et après ? a-t-il insisté.

— Après, elle joue un rôle fondamental, a expliqué le chef sans perdre sa calme autorité. Elle sait déjà ce que je veux d'elle.

— Je participerai à la commémoration, ai-je expliqué à Phœnix. Soit au volant de ma voiture, soit comme passagère d'un des motards. Cela reste à définir. Nous allons sortir lentement de la ville. Une fois à la croix de néon, à l'embranchement, je me porterai à la hauteur de Matt et je le provoquerai.

Phœnix a resserré ses doigts autour des miens.

— Tu quoi ? a-t-il protesté, en proie à une fureur qu'il s'efforçait de contrôler.

— Je lui dirai quelque chose qui le fera flipper. Un truc en rapport avec l'accident de Jonas. Je le déstabiliserai au point qu'il quittera la procession pour se lancer à ma poursuite.

— Hors de question ! s'est exclamé Phœnix. Je te l'interdis, Hunter, c'est trop dangereux.

Il pensait tant à me protéger qu'il en oubliait les règles stipulant qu'on ne discutait pas les ordres du suzerain. Arizona lui a conseillé de la boucler, Summer a porté sa main à sa bouche, Jonas et les autres ont paru stupéfaits. Hunter a rejeté la tête en arrière, s'est concentré et a réduit Phœnix au silence en le privant de ses forces. Les jambes de mon amoureux se sont dérobées sous lui, et il s'est écroulé par terre.

— D'autres objections ? a ensuite lancé Hunter.

Phœnix s'est hissé sur ses genoux. Je me suis précipitée vers lui.

— C'est un bon plan, ai-je plaidé. Je l'ai déjà accepté. J'ai envie d'agir. Pour Jonas.

— Phœnix est d'accord avec toi, n'est-ce pas, Phœnix ? est intervenue Arizona. C'est quoi, la suite, Darina ?

— J'entraîne Matt le long de la piste. Hunter l'y attendra. Ensuite...

J'ai respiré un bon coup avant de révéler l'idée de génie.

— Ensuite, nous remontons le temps.

— Un an auparavant, jour pour jour, a confirmé Hunter en dévisageant Jonas. Même endroit, même heure.

— Tu emmèneras Matt et Darina ? a insisté ce dernier. Ils vont voyager dans le temps ?

— Nous avons besoin de preuves concrètes.

— Sait-elle à quel point ça fait mal ? a lancé Summer.

Des coups d'œil indécis ont été échangés. C'était la première fois que Hunter se heurtait à une telle résistance de la part de ses vassaux.

— Oui, ai-je répondu. Il ne m'a rien caché. J'ai pris ma décision en toute conscience. Je sais aussi que nous serons seuls, Hunter, Matt et moi.

En entendant cela, Phœnix est parvenu, avec bien des efforts, à se remettre debout. Il a tangué d'un pied sur l'autre, instable.

— Je tiens à être là, a-t-il marmonné malgré ses souffrances.

— Non, ai-je objecté en le soutenant. Voyager dans le temps exige beaucoup d'efforts. Plus nous sommes nombreux, plus Hunter s'épuise, et plus la douleur est vive. Je ne t'apprends rien.

— Darina a raison, Phœnix, a murmuré Summer.

Il a baissé la tête, cédant à la raison en dépit de ce que cela lui coûtait.

— Bref, Darina, a conclu Arizona avec son agressivité habituelle, le destin éternel de Jonas est entre tes mains. Wouah ! À ta place, Jonas, j'y réfléchirais à deux fois.

J'ai passé l'après-midi avec les *Beautiful Dead*.

Je le dis sans réfléchir, comme si c'était normal, comme si ça m'était arrivé tous les jours de ma vie.

Le ciel s'était éclairci, bleu vif. Un oiseau plus gros qu'un milan, un aigle peut-être, nous a survolés, Phœnix et moi, alors que nous suivions Iceman dans un trou caché près du torrent, où étaient entassées des bûches pour l'hiver.

— C'est le meilleur endroit où pêcher, m'a expliqué notre guide. Depuis le rocher qui est au milieu du courant, tôt le matin, juste après le lever du soleil.

Je n'ai pu résister à l'envie de sautiller de pierre en pierre jusqu'au fameux rocher. Les bras en croix, j'ai crié à mon amoureux de me rejoindre. D'un geste du menton, il a refusé. Depuis la confrontation avec Hunter, il était silencieux, voire distant. Ça me rendait dingue.

— C'est super ! ai-je lancé, m'émerveillant du soleil sur ma peau et de l'eau claire qui bouillonnait autour de moi. Je vois des poissons !

Des ombres glissaient sous la surface, yeux ronds qui ne cillaient pas, corps rebondis et tachetés, queues vives. Je me suis allongée afin de mieux les observer. Quand j'ai redressé la tête, Phœnix était à côté de moi, et Iceman s'était éclipsé.

— Pourquoi porte-t-il ce sobriquet[1] ? ai-je demandé à Phœnix avec un grand sourire qui le remerciait d'être venu.

— Il était alpiniste de haute montagne. Que des sommets de plus de quatre mille mètres.

— Avec crampons, piolet et tout le bataclan ?

Ce genre d'activité n'était pas ma tasse de thé, mais je connaissais des mordus d'escalade.

— Oui. Un jour, sa corde a rompu, et il a dévissé. On n'a jamais retrouvé son corps. D'où sa présence parmi nous.

En frissonnant, je me suis rapprochée de lui.

— Parlons des reflets du soleil sur l'eau et des gros poissons qui attendent qu'on les attrape, toi et moi.

— Taisons-nous, plutôt.

Il m'a embrassée.

Chaleur, lumière et amour. Avant mardi prochain. Avant que je n'effectue le pas de géant qui me ramènerait dans le passé. Pour aider Jonas.

---

1. Iceman, l'homme de glace en anglais.

Chapitre 10

Sur l'échelle des choses qui me rendent nerveuse, cela dépassait de loin tout ce que j'avais pu faire avant. J'aurais noté un saut en parachute neuf sur dix et un voyage dans l'espace dix sur dix. Mais remonter le temps valait bien un onze sur dix.

Mardi après les cours. La journée consacrée à Jonas.

— Tu n'as pas l'air bien du tout, Darina, m'a dit Laura quand je suis passée la voir à la boutique à mon retour de Foxton. Il est arrivé quelque chose ?

J'ai secoué la tête. Mes instants merveilleux avec Phœnix au bord du torrent avaient ressemblé à ceux de tous les amoureux du monde – partage, sourires, étreintes, silence complice. Dommage seulement que nous ne soyons pas des gens ordinaires, mais ce drôle de mélange entre réel et irréel, humain et mi-humain.

— Ça aurait pu être comme ça, avais-je soupiré en me blottissant contre lui.

« Si tu n'avais pas été tué. »

— C'est comme ça, avait-il rectifié.

Ensuite était venu le moment de la douce et triste séparation... sans la douceur.

— Il faut que je te ramène à ta voiture maintenant, avait dit Phœnix en se levant et en me tendant la main pour m'aider à me mettre debout.

— Qui en a décidé ainsi ? avais-je riposté en regardant les alentours déserts.

— Hunter.

— Hunter ! m'étais-je exclamée en même temps que lui.

Le seigneur et maître. Phœnix avait grimacé.

— Il m'annonce qu'il est l'heure que tu t'en ailles.

— Je te revois quand ?

— Mardi, quand tout sera terminé.

Il m'avait entraînée le long de la rivière, vérifiant parfois par-dessus son épaule que je le suivais. De nouveau, j'avais senti une distance s'installer entre nous.

— Cela signifie-t-il que je n'ai pas le droit de revenir ici avant ?

Il s'était arrêté près d'un grand rocher lisse dont la surface granitique était parsemée d'éclats blancs étincelants. Il s'y était adossé, mains dans les poches, yeux rivés sur le ciel.

— C'est la règle. D'après Summer, nous devons nous reposer. Avant tout grand événement, nous gardons profil bas en priant pour ne pas avoir à dépenser trop d'énergie. Nous nous concentrons et nous préparons sur la tâche à accomplir.

— Ainsi, voyager dans le temps est un sacré truc, même pour les Revenants ?

Mon estomac s'agitait comme si j'avais dévalé des montagnes russes.

— Le plus difficile après notre retour des limbes sur l'autre versant. Il nécessite énormément de pouvoir. Voilà pourquoi Hunter ne s'y résout qu'après avoir tout essayé. En dernier recours, si tu préfères.

Respirer lentement. Me calmer. J'avais affiché mon sourire le plus courageux.

— Penses-tu que nous en soyons là ?

Au lieu de répondre, il m'avait enlacée et serrée plus fort que jamais, ses lèvres dans mes cheveux, me berçant doucement.

— Tu n'as pas eu d'accident avec ta nouvelle voiture, au moins ? m'a demandé Laura en voyant combien j'étais pâle et secouée.

J'ai émis un bruit de langue agacé.

— Tu t'es disputée avec Jim ?

— Non ! Franchement, m'man, ça roule.

J'étais descendue de Foxton dans un état second et, sans réfléchir, m'étais dirigée vers le magasin. Ce que je commençais à regretter. Non seulement je m'offrais aux talents d'inquisitrice de Laura, mais une bande de lycéens venait de se garer sur le parking. Parmi eux, Lucas, Jordan et Matt. Je me suis réfugiée dans une cabine d'essayage. Malheureusement, Laura ne m'a pas fichu la paix.

— Depuis quand es-tu brouillée avec Jordan ? Je vous croyais proches ?

Ayant regardé par la vitrine, elle avait sauté à la mauvaise conclusion.

— Nous ne le sommes pas. Brouillées, s'entend. C'est Matt. (Chouette ! Un bon moyen de détourner la conversation. Je devenais drôlement bonne à ce petit jeu.) Il a toujours essayer de nous séparer, Zoey et moi. Et puis, c'est un vrai trouduc.

— Darina ! s'est exclamée Laura en vérifiant autour d'elle qu'aucun client n'avait entendu mes grossièretés.

— Je te jure ! L'autre jour au Starlite, il s'est ridiculisé. Parce que j'avais dit un truc qui ne lui plaisait pas, il s'est mis à brailler et à devenir teigneux.

Elle a sursauté comme si une guêpe l'avait piquée.

— Comment ça, teigneux ? Il a été violent ? Il s'est battu avec toi ?

— Ouais. Il m'a sortie du café comme une poupée de chiffon, sous les yeux de tout le monde. Heureusement, Brandon était là.

Trois piqûres d'un coup, d'un seul ! Un, Matt m'avait agressée ; deux, il m'avait humiliée en public ; trois, Brandon Rohr avait été de l'équipée sauvage. Laura était sous le choc.

— Quand est-ce que ça s'est passé, exactement ? Où est mon portable ? Il faut que je prévienne Jim.

Très satisfaite d'avoir distrait Laura, je suis sortie de la boutique... pour tomber droit sur Logan, qui traînait dans la galerie commerciale en compagnie de Christian.

Il y a eu un silence gêné entre Logan et moi, que Christian a comblé en jacassant à propos de ma nouvelle décapotable et de son prochain combat de boxe dans la catégorie mi-lourd, le jeudi suivant, en Caroline du Nord.

— Deux jours après notre hommage à Jonas, a-t-il cru bon de me rappeler. Mon entraîneur m'a libéré pour que j'assiste à la commémoration.

— Avec tout le bahut d'Ellerton, a souligné Logan.

Il nous a raconté qu'un prof lui avait confié que l'ensemble de l'équipe enseignante y serait, de même que le proviseur.

— Tout le monde aimait Jonas, a-t-il conclu. Il nous manque.

J'aurais pu objecter que non, que d'aucuns ne l'avaient sans doute pas apprécié. L'énergie m'a manqué. Je me suis donc bornée à sourire à Christian et à lui souhaiter bonne chance pour son match avant de m'éloigner, sous le prétexte qu'on avait laissé un message sur mon portable. Il émanait de Zoey : « Ma mère m'emmène centre com. RV Starlite 5h. »

J'en suis restée comme deux ronds de flan. C'était comme si j'avais déjà remonté le temps et que la Zoey de ce mot était celle que j'avais connue avant l'accident. Elle venait au centre commercial un samedi après-midi et elle voulait me retrouver à notre lieu de rencontre préféré. Je lui ai écrit que j'y serais puis j'ai traversé le parking en courant. Là, j'ai aperçu Mme Bishop qui sortait du coffre le fauteuil roulant haut de gamme de sa fille avant de s'écarter pour la laisser s'y installer toute seule.

— Salut ! m'a lancé Zoey en me découvrant devant elle, bouche bée. Mate un peu !

Elle a fait un, deux, trois pas. Sa mère était à l'affût, prête à la rattraper, au cas où. J'ai secoué la tête avec stupeur. Elle a atteint le fauteuil, s'est lentement retournée, s'est assise dessus. Relevant les yeux, elle m'a souri. Je pleurais, je riais. Je l'embrassais quand je me suis souvenue que Mme Bishop était là. Je l'ai saluée, lui ai fait part de mon incrédulité, de ma joie, de mon admiration pour mon amie. Je n'en revenais vraiment pas ! Les larmes aux yeux également, Mme Bishop a serré mes mains dans les siennes.

— Nous avons rendez-vous chez le coiffeur, m'a-t-elle expliqué. Et Zoey veut acheter de nouveaux vêtements.

— Les anciens sont nuls, a renchéri cette dernière. Bon, maman, si tu filais la première au salon pendant que je prends un verre au Starlite avec Darina ?

— Tu es sûre ? a hésité l'interpellée. Oh, et puis flûte ! Tu as raison. Vous deux avez sûrement des tas de choses à vous raconter.

Comme moi, il était évident qu'elle pensait avoir retrouvé Zoey. Elle s'est éloignée, mais non sans regarder à maintes reprises par-dessus son épaule – il était encore difficile de couper le cordon qui la reliait à sa fille souffrante.

— Tu as l'air en pleine forme ! ai-je lancé à Zoey qui fonçait vers le café.

C'était beaucoup dire et ignorer sa pâleur, sa maigreur et son sourire un brin forcé. La serveuse a déplacé une chaise pour elle. Quelques clients nous ont reluquées.

— C'est ça, rincez-vous l'œil, a soupiré Zoey en laissant transparaître sa souffrance, maintenant. Franchement, Darina, qu'est-ce qu'une couleur et un maquillage m'apporteront ?

— C'est un début, ai-je répondu avec tristesse. Et puis, tu marches. C'est génial !

— J'ai promis à Kim de me rendre en ville au moins une fois avant ma prochaine séance.

— Et tu l'as fait.

— Oui. Et Dieu que ça me coûte !

— Avec le temps, ça sera plus facile.

— Tu crois ?

Tandis que Zoey s'efforçait d'ignorer les regards alentour, la serveuse nous a apporté nos Coca avec la jovialité surfaite qu'on réserve à ceux qui n'ont pas de chance dans la vie.

— Vous voulez manger un morceau ? s'est-elle enquise.

Zoey a secoué la tête.

— J'ai réussi, a-t-elle ensuite repris. J'ai obligé ma mère à m'amener ici. N'empêche, je suis une mauviette. J'ai dû t'envoyer un texto pour me forcer à venir.

— J'en suis heureuse.

Désireuse d'éviter la condescendance, je n'ai rien ajouté, espérant que mon regard transmettrait mon émotion. Ce qui a semblé être le cas, car Zoey s'est peu à peu détendue. Elle me confiait que son kiné lui avait donné de nouveaux exercices, quand Matt Fortune, Lucas et Jordan sont entrés. « Pourvu qu'il ait la décence de ne pas nous parler ! » ai-je songé. Ma prière n'a pas été exaucée, hélas. L'espace d'une seconde, Matt a paru indécis, puis il s'est approché de notre table.

— Salut, Zoey ! Comment va ?

Il a tiré une chaise et s'est assis, cependant que Lucas et Jordan restaient en arrière.

— Bien, merci, a chuchoté l'intéressée en bougeant à peine les lèvres.

Elle a essayé de sourire aux deux autres, en vain.

— Je suis surpris, a enchaîné Matt. Ne le prends pas mal, mais je ne m'attendais pas à te trouver ici.

Je me suis demandé s'il nous embêtait rien que pour se venger de moi. Typique du gars. À moins qu'il ait des motivations plus profondes, et encore pires, en rapport direct avec Zoey.

— Hé, venez dire bonjour, vous autres ! a-t-il hélé Lucas et Jordan. J'étais en train d'expliquer à Zoey qu'on n'espérait pas la revoir aussi vite.

Tandis que le couple nous rejoignait, j'ai décoché un coup d'œil à mon amie lui signifiant qu'on partait dès qu'elle le souhaitait. Tremblante, elle m'a adressé un hochement de tête imperceptible.

— Bonjour, Jordan, me suis-je empressée de lancer. Bonjour, Lucas. Désolée, mais Mme Bishop nous attend chez le coiffeur.

Je me suis levée précipitamment, les pieds de ma chaise raclant sur le sol.

— Eh bien, Zoey, content de constater que ça va mieux, a poursuivi Matt qui en a fait des tonnes pour laisser le passage au fauteuil roulant. Du coup, tu seras là mardi, j'imagine ?

J'aurais voulu que la terre s'ouvre et nous engloutisse. J'ai fusillé ce crétin du regard.

— Mardi ? a répété Zoey d'une voix à peine audible.

Il était évident qu'elle ignorait tout du projet.

— Nous organisons une procession en mémoire de Jonas, a expliqué Matt. Ça fera un an jour pour jour. Mais ça, je n'ai pas besoin de te le préciser.

Zoey est retournée droit à la voiture.

— Ouvre la portière, Darina. Je t'en supplie, ouvre !

— Je n'ai pas la clef !

J'étais très mal. J'ai inspecté les environs, en quête de Mme Bishop. Matt était toujours au café avec Lucas, cependant que Jordan courait sur le trottoir, sans doute pour aller chercher la mère de Zoey. Cette dernière s'est tassée dans son fauteuil.

— Pourquoi ne m'a-t-on pas prévenue ? Depuis combien de temps es-tu au courant, Darina ?

— C'est récent. Matt a tout planifié, le reste du bahut lui a emboîté le pas.

— Pourquoi ? Ça n'a pas de sens.

Je me suis accroupie devant elle en me retenant au bras du fauteuil.

— En l'honneur de Jonas. Du moins, c'est la raison qu'il donne. Venant de n'importe qui d'autre, ce serait cool.

— Mais pas de sa part à lui, hein ? a-t-elle fondu en larmes. Matt n'aimait pas Jonas. Il le détestait, même.

— Je sais.

— Quand son visage m'apparaît, dans mes cauchemars, c'est ça que je remarque. La haine. Dans son regard, dans la façon dont il tord la bouche. C'est justement ça que je ne supporte pas !

— Moi non plus, ai-je renchéri en lui tenant la main pendant qu'elle pleurait.

— Qu'est-ce qu'il a, ce type ? Pourquoi ne me fiche-t-il pas la paix ?

— Je crois qu'il a peur, ai-je murmuré. Sous la haine, il redoute ce dont tu as été témoin.

C'était la première fois que je le formulais, y compris à moi-même. Zoey a relevé la tête. Pendant un millième de seconde, j'ai eu l'impression qu'elle se souvenait, puis ça a disparu.

— Darina, tu sais ce que c'est, quand ton cœur se brise, non ? Le moment exact où il se brise ?

J'ai opiné. Ses yeux étaient bouffis et accablés de chagrin, ses lèvres s'étaient affaissées, elle était au-delà d'une aide quelconque.

— J'ai perdu Jonas, a-t-elle poursuivi, et mon cœur s'est fendu en deux, *crac !* Comme toi avec Phœnix.

J'ai porté ma main à ma bouche, ce qui n'a pas empêché un gros sanglot de s'en échapper.

— Et le pire, tu sais ce que c'est ? a-t-elle enchaîné. Le pire de tout ?

Elle a attendu que je parle, consciente que je connaissais la réponse.

— C'est de ne pas avoir pu dire au revoir, ai-je soufflé.

Mme Bishop est arrivée à toute vitesse avec Jordan et a fait monter sa fille dans la voiture.

— Je pensais que tu la protégerais, m'a-t-elle reproché avec amertume. J'avais confiance en toi.

Je les ai regardées quitter le parking avant de m'éloigner de Jordan qui reconnaissait que Matt avait eu tort de balancer la nouvelle sans crier gare, l'accusant d'être maladroit, comme tous les garçons.

— Il n'avait pas l'intention de blesser Zoey ! a-t-elle dit dans mon dos.

— Tu n'as pas la moindre idée de ce dont il est capable ! ai-je rétorqué.

Mon cœur battait la chamade, j'étais submergée par le chagrin.

— Zoey n'avait pas besoin d'apprendre ça, ai-je marmonné à voix haute en m'installant derrière le volant et en démarrant. Surtout pas par Matt Fortune.

La nouvelle avait anéanti le chemin fragile qu'elle avait emprunté en direction d'un avenir sans Jonas, comme une mine qui aurait explosé sous ses pieds. De plus, ce sale type lui avait balancé l'information sans s'inquiéter des répercussions qu'elle provoquerait chez elle, ne se préoccupant que de lui-même. « Je suis l'organisateur de la procession. Je porte du cuir, je chevauche des Harley. Tout le monde me suit. »

Zoey avait failli mourir dans l'accident.

J'ai quitté la ville à fond de train, droit dans le crépuscule, jusqu'au col de Turkey Shoot. J'ai bifurqué à gauche sur la route de derrière juste au moment où s'allumait la croix de néon bleue.

Comme toujours, le champ magnétique sur la crête de Foxton m'a frappée de plein fouet. Après être descendue de voiture, j'avais pris la direction du rocher de l'Ange. Les montagnes se découpaient en noir contre un ciel mauve, et un million d'ailes se déchaînaient contre moi, me coupant le souffle, blessant mon cœur affolé. Ça m'était égal. J'étais capable de lutter pour franchir l'obstacle quand je savais ce qui m'attendait de l'autre côté. « C'est moi, Darina. D'accord, je n'étais pas censée venir, mais laissez-moi passer. »

Malheureusement, les ailes étaient puissantes ; pareilles à un ouragan, elles me repoussaient. J'ai trébuché et glissé le long d'un rocher de granit pour atterrir dans des buissons dont les épines ont déchiré ma peau quand j'en suis sortie en rampant. Bras autour des genoux, je me suis tapie contre la paroi rocheuse et j'ai attendu que le phénomène cesse. Des millions d'âmes errantes s'abattaient sur moi, leur chagrin désespéré m'a tiré des larmes de compassion.

La vision brouillée, j'ai distingué les têtes de mort, des tas de crânes qui me cernaient, émergeant de l'ombre, fonçant sur moi comme si leurs orbites vides, trous noirs au-dessus de rangées de dents ricanantes, pouvaient voir. Ils s'approchaient, s'approchaient encore, m'engloutissant dans la vacuité de leurs yeux. Aspirée par le néant, j'étais sur le point de perdre prise sur les raisons qui m'avaient amenée ici, sur celui que j'étais venue retrouver. J'ai crié le seul nom qui s'attardait dans ma mémoire.

— Hunter !

Une haute silhouette est apparue près du rocher de l'Ange. Elle a marché vers moi à grands pas dans une drôle de lumière diffuse, un peu comme la croix de néon plantée dans les collines.

— Hunter ! ai-je haleté. Arrêtez-les.

Il a franchi la tempête d'ailes en furie, ses longs cheveux fouettés par le déplacement de l'air. Quand il m'a tendu la main, les crânes s'étaient volatilisés.

— Debout, a-t-il dit.

Dès que j'ai eu obtempéré, il m'a lâchée et a fixé son regard glacé sur moi, déchiffrant les motifs de ma présence ici. Puis il a lentement secoué la tête.

— Laissez-moi vous expliquer, l'ai-je supplié en rassemblant mes dernières forces pour ne pas baisser les yeux, en dépit des ailes qui nous entouraient. Vous savez combien j'ai envie d'aider Jonas et les autres, je vous l'ai prouvé. Mais il y a Zoey. Elle a trop mal.

— Cela ne me concerne pas, a-t-il répliqué. Tu m'as désobéi, Darina. Phœnix t'avait demandé de rester à l'écart jusqu'à mardi. Tu as compris pourquoi, non ?

— Oui, mais je viens de rencontrer Zoey. Vous ne pouvez l'ignorer, n'est-ce pas ? Elle a fait des progrès énormes. Débarquer au centre commercial était une étape décisive, pour elle, ça lui a pris un an avant d'arriver à s'y résoudre. Une fois encore, Matt a tout gâché.

— Elle est jeune. Son cœur s'en remettra.

Hunter continuait de m'observer, en quête de quelque chose que je ne saisissais pas. La colère semblait l'avoir déserté.

— Non, ai-je objecté. Pas tant qu'elle n'aura pas dit au revoir à Jonas.

Nous avons passé un marché. Hunter autorisait Jonas à rendre visite à Zoey. Il a balayé mes remerciements d'un revers de la main, assurant qu'il n'agissait pas par gentillesse mais parce que je le méritais, à force de me mettre en danger pour les Revenants.

— Quand tu partiras d'ici, rends-toi directement chez elle, m'a-t-il ordonné. Jonas arrivera peu après.

— Merci, ai-je insisté. Zoey pourra lui parler, puis il effacera sa mémoire, et elle aura tout oublié, c'est ça ?

— Oui. Ce sera douloureux. C'est pourquoi ta présence est nécessaire.

La souffrance – j'avais zappé ce détail. J'ai frémi avant de me rappeler que Bob Jonson et ses potes y étaient passés et qu'ils étaient toujours en vie. Certes, c'étaient des costauds, et Zoey avait déjà subi tant d'épreuves.

— Tu pensais que ce serait simple, a commenté Hunter avec un sourire sans joie. Ça ne l'est jamais.

Je suis retournée en ville. Zoey était à l'écurie, avec ses deux chevaux. Le jardin était violemment éclairé par des lampes capteurs qui s'allumaient au moindre mouvement. Assise sur son fauteuil roulant, elle caressait l'encolure de Pepper.

— Vas-y, m'avait dit Mme Bishop quand j'avais sonné à la grille. Je m'excuse de t'avoir crié dessus tout à l'heure, Darina. Zoey m'a expliqué, pour Matt et la cérémonie. Elle est traumatisée à un point que tu n'imagines pas.

— Cela ravive le passé, avais-je acquiescé. L'accident, la mort de Jonas.

— Mon mari est chez le proviseur Valenti en ce moment. Il estime que cette procession n'est pas appropriée et exige que le lycée l'empêche, si c'est possible.

J'avais donc traversé la chambre de Zoey, j'étais ressortie sur la terrasse et j'étais entrée dans l'écurie. En me voyant, Zoey avait détourné la tête. Elle voulait être seule au monde, à l'exception de la personne qu'elle ne pouvait avoir.

J'avais patienté.

Le bruit des ailes avait commencé en douceur, assez fort pour alerter les animaux, pas suffisamment pour les effrayer, cependant. Ils avaient tendu le cou par-dessus les portes de leurs stalles, Zoey n'y avait prêté aucune attention. Dans un recoin sombre du jardin s'était dessinée une forme chatoyante. Les lampes capteurs n'avaient pas fonctionné.

La silhouette pâle, jaune en son centre et rouge sur ses contours, ressemblait à une lumière qui aurait transpercé une bobine de film Celluloïd. C'est là que Zoey a paru se rendre compte de quelqu'un chose. Elle a contemplé le phénomène avec de grands yeux brillants. Jonas s'est matérialisé. Il n'a pas bougé, pas prononcé un mot, attendant qu'elle le reconnaisse. Puis il a souri. Zoey a écarquillé encore plus les yeux et s'est penchée en avant, vérifiant qu'il s'agissait bien de lui.

— Salut ! a-t-il soufflé en avançant d'un pas.

Son visage trahissait son émotion : le choc de découvrir combien elle était faible, le chagrin de l'avoir perdue, mais, surtout, un amour intact et puissant.

— Jonas ! a-t-elle murmuré en agrippant les montants de son fauteuil.

Lentement, elle s'est hissée debout. Ses traits s'étaient transformés devant le miracle en train de se réaliser devant elle.

— Tu es revenu.

Il s'est précipité vers elle, l'a prise dans ses bras. Mains autour de la nuque de Jonas, elle a sangloté et ri en même temps, enfouissant sa tête contre son épaule.

— Repose-moi, a-t-elle fini par dire. Je suis trop lourde.

— Tu es légère comme une plume, a-t-il répondu en souriant. Il faut que tu manges mieux.

Doucement, il l'a remise sur ses pieds et a caressé ses cheveux. Elle a plaqué un doigt sur ses lèvres puis a remarqué le tatouage.

— C'est nouveau, ça, a-t-elle commenté.

Il a acquiescé. Inutile d'expliquer la marque, c'était trop long, trop compliqué, d'autant qu'elle ne s'en souviendrait pas. Aussi, il s'est contenté de l'étreindre.

— Tu m'as abandonnée, a-t-elle chuchoté. Où étais-tu ?

Une question douloureuse. Lui n'avait envie que d'une chose, l'embrasser pour qu'elle se taise.

— J'ai perdu le contrôle de la Dyna, lui a-t-il rappelé. Je suis navré. Je t'aimais plus que ma propre vie.

— Répète-le.

— Je t'aimais... je t'aime plus que tout. Je n'ai jamais aimé personne d'autre.

— Moi aussi, je t'aime.

— Tu te rappelles le lac Hartmann ?

— L'eau fraîche. Tu me tenais la main et tu me disais que tu m'aimais.

— Une de tes chaussures est tombée à l'eau.

— Tu l'as repêchée.

Un sourire tremblant a étiré les lèvres de Zoey. Elle s'accrochait à la moindre parcelle de souvenir, étincelante comme un diamant. Les roseaux s'étaient écartés, son soulier y avait flotté comme un canoë.

— Et maintenant, a-t-elle repris, je te serre contre moi, je vois tes yeux bleus, je sens la douceur de ta bouche.

— Nourris-toi, l'a-t-il suppliée. Ne te laisse pas dépérir.

— D'accord.

— Jure-le-moi.

— Je te le jure.

— Réapprends à marcher.

— Regarde !

Elle s'est écartée de lui, juste le temps d'accomplir deux pas en arrière puis deux en avant. Elle lui a souri comme si elle venait de traverser le Grand Canyon sur une corde raide.

— Sois forte, lui a recommandé Jonas en l'enlaçant de nouveau. Même si tu ne me revois pas, même si tu n'entends plus ma voix, reste forte.

Par-dessus l'épaule de Zoey, il m'a aperçue, à l'autre bout du jardin, silencieuse. Longtemps, Zoey n'a pas bougé. Peu à peu, cependant, son étreinte s'est détendue, puis elle a reculé pour le contempler.

— Tu repars, hein ? a-t-elle deviné.

— Je n'ai pas le choix. Mais je t'aime, Zoey.

— Tu ne reviendras pas ?

— Je t'aime.

Il ne pouvait rien dire d'autre, rien faire d'autre. À son tour, Zoey a murmuré ces trois mots, si doucement que même Jonas ne l'a pas entendue.

— Adieu, a-t-elle ensuite soufflé.

Jonas nous a quittées à la manière des Revenants – réel et solide puis évaporé dans l'air la minute d'après.

Zoey a fermé les yeux. Je l'ai aidée à se réinstaller sur son fauteuil puis je lui ai tenu la main, tandis que son corps refroidissait et se mettait à trembler, comme si on l'avait remontée à la surface d'un lac gelé, à demi morte. Son visage était d'un blanc crayeux.

— Ça va aller, ai-je murmuré.

Sa tête est tombée en arrière, révélant son long cou aussi mince et délicat que celui d'un oiseau. Ses prunelles ont roulé sous les paupières striées de veines bleues.

— Tiens bon ! l'ai-je encouragée, terrifiée par sa respiration haletante. Ça sera bientôt fini.

Elle a arqué le dos, serrant mes doigts, sans cesser de frissonner. Peu à peu cependant, ses yeux ont retrouvé leur éclat, ont repris peu à peu conscience de la réalité. Se tournant dans ma direction, elle a marmonné :

— Darina ?

— Tiens bon, ai-je répété en opinant.

— Je perçois des battements d'ailes, a-t-elle continué d'une toute petite voix. Il y en a partout. J'ai mal à la tête. Où suis-je ? Que s'est-il passé ?

Ayant donné ma parole à Hunter que je ne lui expliquerais rien, j'ai gardé le silence.

— C'est incroyable. Je n'ai jamais entendu autant d'ailes. C'est une immense volée d'oiseaux. Sauf que je ne les vois pas.

Elle a soupiré et s'est humecté les lèvres avant d'ajouter :

— Jonas m'a rendu visite.

Là encore, je n'ai pas relevé.

— En rêve. Non... c'était plus que ça. C'était une vision. Jonas, exactement comme autrefois.

Je l'ai contemplée avec anxiété tout en lui caressant le bras.

— Nous étions si heureux. Formidablement heureux. Puis nous nous sommes dit adieu. Maintenant, je me sens changée. Je ne suis plus aussi lourde. C'est difficile à décrire.

— Inutile, ai-je murmuré.

— Je n'ai plus peur, a-t-elle enchaîné. Je sais que Jonas est parti et qu'il ne reviendra pas. J'ai mal, mais je n'ai plus un tel sentiment de solitude.

Son visage se colorait de nouveau, sa respiration était régulière. Moi, je pleurais des larmes de joie.

— Je n'entends plus les ailes. Elles se sont tues.

Zoey a contemplé le jardin, l'air de s'éveiller d'une longue anesthésie.

— C'était stupéfiant !

— Je suis tellement contente pour toi.

Un fardeau soulevé, des fers enlevés, le soleil transperçant les nuages – voilà ce que vivait Zoey.

— J'ai retrouvé ma vie, a-t-elle soufflé.

Glissant ma main dans ma poche, j'ai lentement sorti la boucle de ceinturon ayant appartenu Jonas. « Toujours fidèle à l'esprit ». Je la lui ai tendue. Elle l'a regardée longuement puis, émerveillée, l'a portée à ses lèvres et l'a embrassée.

Chapitre 11

Ensuite, il a fallu endurer la normalité, le quotidien.

Laura a raconté à Jim ce que m'avait infligé Matt au Starlite, et mon beau-père s'est rendu chez Charlie Fortune – la seule famille de Matt à Ellerton. Il en est revenu avec la promesse de Charlie que son frère ne s'approcherait plus de moi. Je l'ai remercié avec une lourde ironie. D'abord parce que j'estimais être capable de me débrouiller seule, ensuite parce que le stratagème de Jim était voué à l'échec. Au contraire, même, il était susceptible de renforcer la méchanceté de Matt à mon encontre.

Le dimanche, la rumeur s'est répandue que M. Bishop était passé voir le proviseur pour tenter de faire annuler la procession du mardi. Mais Valenti n'avait aucun pouvoir au-delà des grilles du lycée.

— Les activités des élèves durant leur temps libre ne me regardent pas.

Tel a été le message délivré. Valenti a également suggéré au père de Zoey d'en discuter avec le shérif, de lui demander si le cortège de motos de Matt enfreignait le Code de la route. Si cette proposition a prouvé à quel point était limitée l'imagination du *Duce*, elle n'a en rien aidé les Bishop.

J'ai aussi été obligée de gérer Logan.

Tard dans l'après-midi du même jour, il a débarqué à la maison. Il paraissait avoir oublié chez lui les signaux négatifs qu'il n'avait cessé de m'envoyer ces derniers temps pour ressembler au vieux Logan sympa. Nous nous sommes installés sur la véranda, selon une habitude presque ancestrale.

— Tu ne me demandes pas si j'ai fait mes devoirs ? ai-je plaisanté. Ni si j'ai vérifié le niveau d'huile de ma voiture ?

— Ça va, je sais que je suis pénible, a-t-il soupiré en allongeant ses jambes et en se vautrant sur la balancelle qui grinçait de partout. Pas fastoche de me fréquenter, hein ?

— C'est vrai qu'on a eu quelques différends, ces derniers temps, ai-je admis, contente de constater qu'il était moins entreprenant que précédemment.

Je m'étais levée tard et j'étais restée confinée à l'intérieur, si bien que je n'étais pas maquillée et que je portais un vieux jean et un tee-shirt encore plus usé. Logan s'est balancé dans un concert de craquements.

— Et, ai-je enchaîné pour le défier, tu n'as pas l'intention de me dire que tu m'attendras jusqu'à ce que je tombe amoureuse de toi.

Que les choses soient bien claires entre nous, une fois pour toutes.

— Me blesser est vraiment le cadet de tes soucis, hein ? a-t-il riposté en arrêtant la balancelle.

— Pas du tout ! ai-je protesté. Je n'ai aucune intention de te faire du mal, mais il faut que tu cesses de m'importuner. Il n'est pas question de cela, entre nous. Nous sommes amis. Enfin, je l'espère.

— Amis, a-t-il acquiescé.

Il a réussi à teinter ce seul mot d'une désillusion et d'une déception immenses.

— Hé, ne tire pas cette tronche-là ! Les amis me conviennent, surtout si tu en es.

— Est-ce que ça signifie que tu me parleras de tes problèmes quand tu en rencontreras ?

— Parfois, oui.

— Pas toujours ?

— Non. Certaines choses doivent rester dans le domaine du privé. Pour moi, du moins.

— Et moi, j'aurai le droit de te confier des trucs ?

— Quand tu voudras, oui.

Sa façon de définir des limites bien précises à tout m'a arraché un sourire.

— D'ailleurs, quoi de neuf ? ai-je repris.

— Suis-je si facile à déchiffrer ? a-t-il riposté en recommençant à se balancer.

— Un livre ouvert !

— OK. J'ai dû filer de chez moi parce que Bob Jonson y est, à picoler avec mon père. Je n'aime pas beaucoup ce spectacle.

— Tu as raison, ce n'est pas chouette.

— Il faudrait qu'il dessoûle avant mardi, et je ne suis pas certain qu'il y parviendra, surtout si mon paternel le fournit en bibine.

Une réflexion m'a brusquement traversé l'esprit. Bizarre, parce que j'aurais dû m'en rendre compte bien plus tôt. Même si, à force de fréquenter quelqu'un d'aussi près, on finit par ne plus voir grand-chose. Logan était le parent, dans sa famille. Son père, l'enfant. Les rôles étaient totalement inversés. Et voilà qu'il devait aussi s'occuper de Bob Jonson, à présent.

— Ce n'est pas à toi de t'inquiéter de cela, ai-je murmuré.

— Il n'y a pas que ce problème d'alcool. Il y a aussi la commémoration. Cette date sera sûrement assez difficile à vivre pour Bob sans en rajouter avec la procession. J'ai peur que mardi ne l'amène à basculer un peu plus.

— Je croyais pourtant que tu soutenais Matt ? me suis-je étonnée en me redressant sur ma chaise.

— Je n'en suis plus trop sûr, Darina. J'aimerais que quelqu'un d'autre que lui mène la danse. Parce que, comme ça, ça me paraît... dangereux. Genre mèche allumée, tout le monde recule. Tu trouves ça idiot ?

— Non. Développe.

— Matt est incontrôlable. Il n'a encore jamais rien organisé de cette envergure. Il y aura des dizaines de motos, cent peut-être. Et beaucoup d'émotion. Valenti a interdit le défilé, tu es au courant ?

— Plus exactement, il a expliqué qu'il n'était pas en mesure de l'interdire.

C'était étrange. Bien que d'accord avec Logan, j'avais absolument besoin que la commémoration ait lieu. Parlez-moi d'un dilemme.

— Oui. Je ne peux rien contre non plus. Sauf participer, sur l'une des bécanes de Charlie.

— Il est de notre devoir à tous d'assister à l'événement, ai-je insisté. D'ailleurs, j'ai changé d'avis. Accepterais-tu de me prendre comme passagère ? Juste à l'avant du cortège, avec Bob et Matt ?

Normalité, quotidien. Lycée le lundi – bavarder avec Jordan et Hannah, entendre Matt passer son temps au téléphone pour régler les ultimes détails et préciser à son frère le nombre de motos qui serait nécessaire. Ce qui ne l'a pas empêché, entre deux coups de fil, de me coincer.

— Alors, fille à son papa chéri ?

C'était l'interclasse, nous étions seuls dans un escalier qui offrait une vue magnifique sur le pic d'Amos.

— Casse-toi, Matt !

— La fifille à son papounet a besoin qu'on la protège contre le gros vilain Matt ?

Il savait très bien que Jim n'était pas mon père. Il s'amusait juste à retourner le couteau dans la plaie. J'ai essayé de filer, mais il m'a plaquée contre la rambarde.

— Devine un peu ce que j'ai balancé à Jim quand il a débarqué chez moi ? Je lui ai balancé qu'il devait rigoler. Que je n'avais pas le temps de harceler sa belle-fille, Miss Bizarroïde. Qu'elle n'était pas mon type. Et puis, est-ce qu'il l'avait seulement regardée d'un peu près, ces derniers temps ? Depuis la mort de Phœnix, elle se laissait vraiment aller.

Penché sur moi, il avait envahi mon espace personnel au point que j'étouffais, que j'en avais le vertige.

— Hé, Matt ! a crié Christian depuis le bas de l'escalier. Ton frangin m'a trouvé une bécane ?

Sur un ultime ricanement, Matt a filé rejoindre son copain, dévalant les marches deux à deux.

Mardi, le lycée, et je n'avais pas fermé l'œil de la nuit. Le parking du bahut étincelait sous l'effet des chromes luisants. Les filles ont tenu une compétition pour déterminer laquelle avait les roses les plus grosses et les plus rouges, les fleurs de l'amour. Elles les ont stockées sur le perron de l'entrée principale, prêtes à être emportées pour la procession.

À midi, Zoey m'a envoyé un message. « Porte boucle de J et pense à vs ts. »

Au déjeuner, Logan s'est assis à côté de moi. Nous n'avons pas parlé.

Je n'étais au diapason avec rien, ni les Harley ni les bouquets, ni les nuages qui menaçaient au-dessus des montagnes. Je n'avais qu'une chose à l'esprit : c'était la fin de partie pour Jonas, j'avais intérêt à ne pas rater mon coup.

— On prévoit une tempête avant la fin de la journée, m'a prévenue Logan quand j'ai grimpé derrière lui, sur la selle de la Softail qu'il avait empruntée. Cinquante pour cent de chances que ça se produise.

À la suite d'une horde de Kawasaki et de Suzuki, nous avons quitté le lycée pour le centre-ville.

— Flûte ! ai-je marmonné.

Pas parce que la pluie risquait de bousiller ma coiffure, mais parce que tonnerre et éclairs signifiaient que les Revenants ne seraient pas au rendez-vous.

— Pourquoi es-tu si nerveuse ? m'a demandé Logan en sentant le tremblement de mes bras autour de sa taille. Tu n'as quand même pas peur que je pilote cet engin ?

— Non, je te confierais ma vie, ai-je marmonné.

De toute façon, nous roulions à trente kilomètres heure, entourés par plusieurs autres motos. Logan a jeté un coup d'œil par-dessus son épaule, cherchant Matt.

— Il m'a dit que Bob Jonson et ses potes nous rejoindraient au centre commercial. Ils seront une vingtaine. Plus les trente-cinq équipages du bahut et tout un tas de mômes en voiture.

— Voilà Matt, ai-je annoncé.

Il remontait la file en slalomant entre les véhicules, calé très en arrière sur sa selle, bras tendus sur le guidon, les franges de son blouson de cuir volant au vent. Il a braillé des ordres par-dessus le vacarme des moteurs.

— Mettez-vous en place, les gars ! Tommy à côté de Lucas, Logan et Christian derrière eux. Personne ne colle à la roue qui le précède et personne ne double.

Logan a profité d'un feu rouge pour se retourner vers moi.

— Ça va ? s'est-il enquis. Tu es sûre de vouloir continuer ?

— Je n'aime pas ça, mais oui, je tiens à en être.

Quand le feu est passé au vert, nous avons traversé la nationale pour entrer sur le parking du centre commercial. De grosses gouttes de pluie ont commencé à tomber paresseusement. Matt nous a conduits vers son frère qui nous attendait sur sa Tourer avec une bande de potes.

Logan a manœuvré pour gagner son poste dans le défilé, derrière Tommy et Lucas qui avait Jordan comme passagère.

— Ces mecs sont de vrais durs, a lancé cette dernière en découvrant le tableau.

Brandon était là lui aussi, avec sa propre bande. Pas de vestes en cuir à franges luisantes ni de jeans bleus propres, là ; en revanche, des blousons usagés, ayant vécu, rehaussés de fermetures Éclair et de clous. Certains gars arboraient une barbe et des cheveux longs et semblaient faire corps avec leur Harley. Me repérant derrière Logan, Brandon a rapidement détourné les yeux. Comme s'il ne m'avait pas sauvée de la noyade, comme s'il ne m'avait pas offert de voiture, comme s'il ne me connaissait pas. Une sensation désagréable m'a envahie, que je me suis efforcée d'ignorer.

— Je n'aperçois pas Bob Jonson, ai-je dit. Il n'a sans doute pas réussi à venir.

— Rien de très surprenant, a répondu Logan en se garant près de Christian. La dernière fois que je l'ai croisé, dimanche, il était rond comme une queue de pelle.

— Rien de très surprenant là non plus, est intervenu Christian. Bob n'a pas dessoûlé depuis un mois. Il paraît que la mère de Jonas a définitivement quitté le domicile conjugal.

— J'espère bien qu'il ne se montrera pas, ai-je grogné.

En effet, ce n'était pas le lieu où célébrer le premier anniversaire de la mort d'un fils unique, même quand on était sain d'esprit, heureux en couple et sobre. Les cinquante moteurs grondaient de façon monotone, les pilotes regardaient droit devant eux, la pluie forcissait.

— Plus que cinq minutes, a annoncé Logan en consultant sa montre.

Inspectant la foule rassemblée à l'entrée du centre commercial, il m'a soudain tapoté la cuisse.

— Zoey est là avec sa mère.

J'ai été tellement choquée que j'ai eu l'impression qu'on m'avait coupé les jambes.

— Ce n'était pas prévu au programme, ça ! ai-je bafouillé.

Sans y réfléchir à deux fois, j'ai sauté de l'engin et me suis précipitée vers mon amie.

— Qu'est-ce que tu fiches ici ? ai-je crié. Tu crois que tu n'as pas assez souffert ?

Je n'aurais pas dû m'inquiéter autant, cependant. Coiffée et vêtue à la dernière mode, Zoey avait la tête haute. Elle avait mis la boucle du ceinturon de Jonas. Elle était magnifique.

— Après mûre réflexion, j'ai décidé d'être là, m'a-t-elle lancé. Je ne suivrai pas la procession, je veux seulement la regarder partir.

— Il y a beaucoup de gens, a souligné Mme Bishop avec tristesse.

— Tout le monde l'aimait, a calmement lâché sa fille en me tendant une rose rouge. Tiens, mets-la à ton revers. Elle est pour lui. Tu la déposeras à l'endroit de l'accident. De ma part.

Matt discutait avec Charlie et Brandon. Ils vérifiaient l'heure et se demandaient quoi faire quand Bob Jonson a fini par débouler. Au guidon de sa Dyna, il s'est dirigé droit sur nous, tête nue, rasé de près, en chemise blanche, sans blouson malgré l'averse. On l'aurait presque pris pour Jonas lui-même. Des murmures appréciateurs ont parcouru la foule : Bob s'était suffisamment ressaisi pour participer à l'événement. Sans un mot, les yeux fixés sur un horizon imaginaire, il s'est garé près de Matt.

— Allons-y, a alors décrété ce dernier.

Levant la main droite, il a désigné les pics au loin. Les moteurs ont rugi, et le cortège étincelant s'est mis en branle. Nous avons quitté la ville à un pas de sénateur pour permettre aux voitures qui suivaient de se joindre à nous et aux badauds de comprendre ce qui se déroulait sous leurs yeux et de rendre hommage au disparu. Le spectacle devait être quelque chose. Les motos, les lycéens, les fleurs rouges sous la pluie. J'ai aperçu Laura sur le seuil du magasin et, un peu plus tard, Valenti et quelques profs réunis à la station-service. Autrement, la plupart des visages sont restés dans un flou artistique.

Nous n'avons pas tardé à atteindre les belles pelouses de Centennial. Là encore, je n'en ai pas vu grand-chose, car je me concentrais sur le dos de Matt Fortune, estimant notre vitesse pour définir vers quel moment nous arriverions au col de Turkey Shoot. Nous avons emprunté la nationale et nous sommes éloignés en direction des montagnes, sous des cieux noirs et menaçants.

Je me suis penchée vers Logan.

— Quoi qu'il se produise, là-bas, ai-je crié, je tiens à te remercier.

Il s'est raidi.

— Pourquoi ? Que va-t-il se passer ?

Au loin, on distinguait déjà la croix de néon. Seuls Lucas et Tommy nous séparaient de Matt et de Bob.

— Tu verras bien, ai-je répondu. Fais-moi confiance.

Notre immense cavalerie, quasi seule sur la nationale, approchait des lieux où Jonas avait perdu la vie. Bob Jonson a ralenti et a baissé la tête. Sa moto a tangué. Matt s'est collé à lui et l'a redressé. Nous étions sous la croix, à présent. La pluie nous fouettait le visage.

— Logan ? File à l'avant.

Il a tressailli, étonné.

— S'il te plaît, obéis-moi.

Cédant à mes injonctions, il a doublé Lucas et Jordan et a rattrapé Matt et Bob. Le premier encourageait le second.

— Il faut que tu tiennes, mec !

— Ne me dis pas ce que je dois faire, a riposté Bob, mécontent, en s'écartant de lui.

Logan a profité de l'espace libéré pour s'y insérer. Ayant atteint la bifurcation menant à la route de derrière et au rocher de l'Ange, nous avons freiné, nous arrêtant presque.

— Hé, toi ! ai-je lancé à Matt en le fusillant du regard. Tu es mal placé pour donner des ordres au père de Jonas !

Bob s'est tourné vers moi. J'avais attiré son attention, ainsi que celle de Matt.

— Tout est ta faute, ai-je poursuivi en glissant au bas de la selle et en accompagnant l'assassin de Jonas au petit trot. Tu l'as tué, Matt. Il y a un an. Et aujourd'hui, tu vas payer.

Matt a fait demi-tour et a tenté de m'écraser. Mais j'étais aux aguets, et je l'ai évité avant de me ruer sur la piste, l'entraînant loin des autres. J'ai réussi à le distancer un peu, car des motos l'ont gêné. « Poursuis-moi, espèce de crétin ! » l'ai-je exhorté en silence tout en tendant l'oreille, à l'affût du bruit de son moteur. « Pète un câble et essaie de me zigouiller à mon tour ! » J'ai cherché Hunter du regard.

Par bonheur, Matt a réagi comme prévu. Fou de rage, il a foncé dans un nuage de poussière. Hors d'haleine, j'étais sur le point de me jeter sur le côté pour lui échapper quand Hunter a surgi de derrière un rocher. Fort comme un chêne, il s'est planté sur le chemin de Matt. Des yeux, il l'a forcé à s'arrêter.

La volonté de Matt l'a déserté en un instant. Lâchant son guidon, il est tombé, et la Harley avec lui. Il n'a plus bougé, seules les roues tournaient. Hunter a soulevé l'engin et relevé Matt. La pluie continuait de s'abattre, renforcée par les bourrasques. J'ai perçu les battements d'ailes, fracassants, plus que jamais même, et je me suis retrouvée à mon tour sous le contrôle du sortilège de Hunter, impuissante. Alors, quelque chose d'extraordinaire s'est produit.

L'orage a grondé, les sommets ont été enfouis sous des nuages noirs, les ailes se sont agitées furieusement, Matt Fortune était debout à côté de Hunter, soudain doté d'ailes, tel un ange néfaste. Puis Hunter m'a attrapée, une brume nous a cernés, mes épaules ont commencé à me démanger et à me brûler. Me retournant, j'ai constaté que j'avais moi aussi des ailes blanches magiques, que j'entrais dans le monde des Revenants.

Je battais des ailes en compagnie de millions d'âmes perdues. Devant moi avec Matt,

Hunter fendait un brouillard gris. J'avais beau avoir décollé du sol, j'avais moins l'impression de voler que de tournoyer, emportée par un tourbillon à travers le ciel, privée de tout sens de l'orientation, sans rien contrôler. Je distinguais Matt, sa bouche ouverte sur un cri silencieux ; ainsi que Hunter, son visage de pierre pareil à un masque glacé. De mon côté, je retenais un hurlement de terreur.

Le monde s'est assombri. Nous étions dans l'œil du cyclone, ballottés au gré d'un maelström, ailes déployées. Mon corps n'était qu'une souffrance, mes muscles distendus, distordus par ce voyage dans le temps. Les ailes environnantes provoquaient un courant violent qui entraînait les têtes de mort, cent mille au moins, partout, fantomatiques. Les crânes jaunâtres ont cerné Matt, que j'ai perdu de vue. Hunter continuait de nous mener vers un point de lumière lointain. Il fallait que je l'atteigne. Le mort me réclamait. Elle tirait sur mes membres, tentait de m'arracher mes belles ailes, mais je résistais.

« Accroche-toi, Darina ! Tu y es presque. » La voix de Phœnix a résonné dans mon cerveau, dominant le tumulte environnant. Il me surveillait, s'assurant que j'y arriverais. Je me le suis imaginé, sur la crête de Foxton, seul, fixant l'orage, n'en perdant pas une miette.

Le point lumineux a grossi, s'est éclairci. Nous avons été aspirés dans cette direction à la vitesse de la lumière peut-être, si rapidement que j'ai cru que j'allais me désintégrer en un million d'atomes. Puis une clarté aveuglante nous a submergés, incandescente, irréelle. Soudain, le silence s'est installé. Les ailes se sont tues, les crânes ont disparu. Hunter a écarté les bras – nous y étions.

L'après-midi de l'accident de Jonas. Une rue ombragée de Centennial. Zoey attendait impatiemment l'arrivée de son amoureux. Hunter, Matt et moi avons pris position à une cinquantaine de mètres de là. Matt a voulu parler, aucun son n'a franchi ses lèvres. Je l'ai imité – même résultat. Nous étions privés de parole, témoins muets et invisibles. Le tourment a déformé les traits de Matt, prisonnier des pouvoirs de Hunter.

Bientôt a résonné la pétarade de la Dyna, et Jonas a tourné dans l'artère. Un Jonas détendu et heureux sous le soleil. Zoey a souri et agité la main. Elle était mignonne, en corsaire et petit haut bleu, sa chevelure blonde retenue par une queue-de-cheval lâche. Elle était pressée de sauter en selle et de filer.

Ils ont quitté la ville, suivis par nous. Zoey s'accrochait à la taille de Jonas, le vent a gonflé leurs cheveux et leurs tee-shirts quand ils ont filé sur la nationale. Une route ensoleillée, deux belles personnes éprises l'une de l'autre. Leur ultime voyage. Jonas a accéléré. Un camion descendait la colline dans le sens inverse. Une voiture de sport argentée les a doublés.

Soudain, une seconde moto a surgi, loin derrière, mais gagnant rapidement du terrain. Le Matt ailé s'est alors découvert sur sa Harley, fermeture Éclair de son blouson remontée jusqu'au menton, manette des gaz à fond. L'espace d'une seconde, j'ai quitté des yeux Jonas et Zoey pour observer Matt l'ange du malheur. Son visage reflétait une incrédulité absolue, un déni total, une peur gigantesque. Hunter le tenait d'une poigne ferme, l'obligeant à observer son propre crime.

Matt a grimpé en direction du col de Turkey Shoot, a rattrapé la Dyna. Jetant un regard sur le côté, Jonas l'a reconnu et a freiné.

— C'est donc ça, ta vitesse maxi ? a lancé Matt, railleur.

Il a foncé sur eux, obligeant Jonas à rouler sur la bande d'arrêt d'urgence. Le soleil se reflétait sur les chromes des machines, brusques éclairs argentés. Zoey a resserré sa prise autour de Jonas, a crié à Matt de cesser. De nouveau, Jonas a freiné, réintégrant la nationale, mais Matt avait fait demi-tour et s'amusait à tourner autour de lui en riant aux éclats.

— Arrête ! a hurlé Zoey.

Matt s'est esclaffé derechef, un rire laid, celui que Zoey entendait dans ses cauchemars. Il a filé droit sur eux, obligeant encore une fois Jonas à quitter la route, puis lui coupant le chemin, puis le poussant par-derrière. Terrifiée, Zoey s'est caché le visage dans l'épaule de son chéri.

— Allez, mec, faisons la course ! a crié Matt.

Se penchant en arrière, il a soulevé son guidon, se dressant sur sa roue arrière. Il empêchait l'autre moto de ralentir, la harcelait comme un coyote pourchassant un jeune bœuf. Jonas a brusquement changé de cap et gagné la file de gauche pour essayer de fuir, refusant de relever le défi lancé par le dingue qui l'embêtait.

— Froussard ! a lancé ce dernier, les yeux écarquillés et fous. Sois sympa, Jonas, voyons qui est le plus rapide.

De nouveau, il leur a foncé dessus, les a heurtés, les a ramenés vers la bande d'arrêt d'urgence. Ils étaient à présent au niveau de l'embranchement du col, là où la piste filait vers le rocher de l'Ange.

Matt a tourné en ululant, chargeant encore une fois la Dyna. Jonas a freiné, et ses pneus ont dérapé sur la bretelle de sortie couverte de graviers. Perdant le contrôle de la bécane, il a traversé la nationale, a frotté contre la rambarde de sécurité, a rebondi. Il a déployé tous ses efforts pour tenter de reprendre les rênes, cependant que la moto repartait vers les buissons.

Il y a eu un moment, comme au ralenti, interminable, où j'ai eu l'impression qu'ils allaient s'en sortir. Jonas a recouvré l'équilibre et a freiné à fond. J'ai presque retrouvé mon souffle. Malheureusement, Matt a foncé sur lui, l'a propulsé vers le bas-côté. Les roues ont heurté des plantes, ont glissé, les ont réexpédiés sur la route.

C'est alors que ça a été la fin.

Comme l'avaient dit les flics, ils roulaient vite. La moto s'est couchée, raclant le goudron.

Zoey a été éjectée, mais Jonas s'est retrouvé coincé sous l'engin. Il s'est fracassé de plein fouet contre la rambarde de sécurité, se brisant la nuque et mourant sur le coup.

Matt Fortune a tournoyé autour de l'épave et des corps, tel un vautour noir et lent, prenant peu à peu conscience de ce qu'il venait de provoquer. S'approchant de Jonas, il a vu qu'il était mort. Puis il a rejoint Zoey. Elle respirait, les yeux ouverts, perdant peu à peu conscience. Matt s'est penché sur elle, une drôle d'expression sur le visage – un mélange bizarre entre la joie du basketteur qui vient de marquer un panier et le renfrognement qu'affichent tous les criminels sur les portraits-robots. Il avait gagné le match l'opposant à Jonas, mais en tuant celui-ci.

J'avais le souffle coupé. Les traits de Matt me fascinaient tout en me terrifiant.

Il a regardé Zoey fermer les paupières, a tourné à deux reprises autour de la scène du crime, vérifiant à droite et à gauche que la nationale était déserte, puis il a franchi l'esplanade centrale à travers un trou dans la barrière et est reparti vers Ellerton.

Chapitre 12

J'ai brusquement retrouvé ma voix devant les corps brisés de Jonas et de Zoey.

— Tu l'as tué ! ai-je soufflé.

Le masque d'ange du malheur de Matt n'a trahi aucune émotion.

— Telle est la vérité que tu caches depuis un an. Maintenant, je la connais moi aussi.

La roue de la Dyna tournait lentement sous le soleil.

— Et alors ? a riposté Matt en posant un regard vide sur moi. Qu'est-ce que tu comptes faire, pauvre folle ? Qui te croira ?

Hunter a avancé, vrillant Matt de ses yeux durs.

— Tout le monde, a-t-il répondu à ma place. Reconnais-le, tu es fichu.

L'autre a réagi comme un animal pris au piège sous le faisceau de ces prunelles d'un gris acier, se débattant pour s'enfuir.

— Inutile de lutter, lui ai-je lancé d'une voix calme. Les pouvoirs de Hunter sont trop puissants. Tu es coupable, admets-le.

Matt n'a pas eu ce courage, cependant. La logique de son esprit tordu et faible l'en a empêché.

— Jonas s'est défilé ! a-t-il protesté. C'est comme ça qu'il s'est fichu en l'air. Il aurait mieux fait d'accepter une course.

— Tu l'as harcelé, ai-je répliqué.

— Je m'amusais un brin, rien de plus.

— Ose dire que tu n'avais pas l'intention de le tuer ! ai-je crié en désignant le cadavre de Jonas.

— Oui. C'était un accident.

— Sans toi, Jonas serait encore en vie, ai-je objecté. Et Zoey marcherait.

Allongée par terre, celle-ci a frémi. Tournant la tête, elle a tenté de lever un bras.

— Tu as cru qu'elle aussi était morte. Tu l'espérais.

— Ferme ta sale gueule ! a rugi Matt, cédant finalement à une bouffée de colère.

Il a plongé sur moi et a réussi à me serrer le cou d'une main avant que Hunter ne sape sa volonté, le contraignant à s'affaisser.

— Il est temps de partir, a décidé le suzerain des Revenants.

Cette fois, il m'a tenu la main quand il a invité les âmes ailées dans notre espace et m'a fait décoller du lieu de l'accident. Il a laissé l'ange du malheur se traîner péniblement derrière nous à travers la brume grise tournoyante et les hordes de têtes de mort gémissantes.

Nous étions sous la croix, à présent. La pluie nous fouettait le visage.

— Logan ? File à l'avant.

Il a tressailli, étonné.

— S'il te plaît, obéis-moi.

Cédant à mes injonctions, il a doublé Lucas et Jordan et a rattrapé Matt et Bob. Le premier encourageait le second.

— Il faut que tu tiennes, mec !

— Ne me dis pas ce que je dois faire, a riposté Bob, mécontent, en s'écartant de lui.

Logan a profité de l'espace libéré pour s'y insérer. Ayant atteint la bifurcation menant à la route de derrière et au rocher de l'Ange, nous avons freiné, nous arrêtant presque.

— Hé, toi ! ai-je lancé à Matt en le fusillant du regard. Tu es mal placé pour donner des ordres au père de Jonas !

Bob s'est tourné vers moi. J'avais attiré son attention, ainsi que celle de Matt.

— Tout est ta faute, ai-je poursuivi en glissant au bas de la selle et en accompagnant l'assassin de Jonas au petit trot. Tu l'as tué, Matt. Il y a un an. Et aujourd'hui, tu vas payer.

L'averse a redoublé, cependant que Matt faisait gronder son moteur. À ma droite, Bob Jonson a entendu mes accusations. Il a réagi comme s'il venait de recevoir une décharge électrique de mille volts. Agrippant son guidon, il a serré les dents, et ses lèvres se sont étirées sur un drôle de sourire.

— C'est vrai, ça, Matt ? a-t-il demandé. Tu as tué mon fils ?

— Il était là, ai-je insisté. Il a harcelé Jonas, l'a forcé à quitter la route. Raconte-lui, Matt. Raconte ce qui s'est passé.

— Elle est folle ! a nié l'interpellé.

Sur ce, il a démarré en direction du col de Turkey Shoot. Au loin, le tonnerre a roulé. Un éclair de colère a traversé le visage de Bob Jonson quand il a vu Matt s'éloigner. Puis il a tourné vers moi les yeux d'un bleu perçant qu'il partageait avec Jonas, et j'ai eu le sentiment que ces douze mois de tristesse, d'ivrognerie et de désespoir avaient cédé la place au soulagement engendré par la vérité.

— Merci, Darina.

Puis il a mis les gaz et s'est lancé à la poursuite de Matt. Ce dernier l'a aperçu dans son rétroviseur. Il a accéléré dans une grande gerbe d'eau.

— Suis-les ! ai-je lancé à Logan en sautant derrière lui.

Il a hésité avant de céder. La moto s'est cabrée en prenant de la vitesse. Il y a eu un nouveau coup de tonnerre, et un éclair fourchu a déchiré le ciel. Devant nous, les deux machines fonçaient à l'assaut du col, dont elles ont franchi la crête, disparaissant à nos regards.

— Plus vite ! ai-je crié à mon pilote.

Deux autres motards nous avaient emboîté le pas – Charlie Fortune et Brandon Rohr. Le reste du défilé, paumé, s'était garé sur le bas-côté, au pied de la colline. Logan s'est raidi puis s'est couché sur la machine, bien décidé à ce que Charlie et Brandon ne le doublent pas. Un autre éclair a lui, suivi d'un roulement de tonnerre, et j'ai deviné que Hunter et les Revenants n'étaient plus là pour me soutenir, qu'ils avaient regagné les limbes. J'étais seule, et je me précipitais tête la première vers Foxton et l'orage.

Nos trois motos ont atteint le col en même temps. Au loin, Matt et Bob dévalaient dans la vallée, le second tout proche du fuyard et gagnant encore du terrain. Tous deux ont doublé un camion qui se traînait, fendant le sillage d'eau qu'il provoquait. Devant eux, on distinguait les maisons du hameau qui bordaient la nationale, au carrefour de Foxton.

Logan, Charlie et Brandon ont dévalé la colline, accélérant un peu plus. Bob s'est porté au côté de Matt. Au dernier moment, celui-ci a soudain bifurqué sur la gauche, espérant ainsi tromper son poursuivant. Ce dernier a cependant réagi en un quart de seconde. Il a freiné si fort que sa roue arrière a presque dérapé, tandis qu'il tournait lui aussi à gauche, coupant la route au camion. Un instant, les deux engins ont été cachés, avant de resurgir sur le chemin qui longeait la rivière.

Énième coup de tonnerre. Des lambeaux de nuages blancs s'accrochaient aux sommets, la pluie se déversait à seaux, impitoyable. Logan a atteint l'embranchement juste devant Brandon et Charlie. Dans le virage, il s'est incliné à gauche, le genou râpant presque le sol. Nous roulions à présent sur un chemin de terre, le cours d'eau sur notre droite, volant dans des mares de boue. Matt avait repris une certaine avance, à une vingtaine de mètres devant Bob. Le père de Jonas n'était cependant pas prêt à renoncer. Coupant les tournants à la corde, il rattrapait progressivement son retard. Ils ont dépassé les cabanes de pêcheurs en un clin d'œil, ont traversé la pinède incendiée dont les souches s'accrochaient miraculeusement à la pente raide.

À un moment, Brandon a franchi une flaque si profonde que sa moto a dérapé. Me retournant, j'ai vu qu'il s'étalait sur le côté de la piste, tandis que sa machine continuait de glisser et allait se briser contre un rocher. Brandon s'est relevé et nous a contemplés, impuissant, qui nous éloignions.

La route a attaqué son ascension à travers les arbres. Quelque dix ou douze mètres plus bas, la rivière rugissait, ses eaux blanches d'écume submergeant les rochers noirs. Bob était presque au niveau de Matt. Tous deux étaient trempés et couverts de boue, les cheveux collés au crâne, les mains serrées sur les poignées du guidon rendues glissantes par la pluie. Tout à coup, Bob a devancé le fuyard d'une demi-roue et s'est rabattu sur la gauche, obligeant l'autre à s'approcher dangereusement du bord de la route. Matt a freiné, n'échappant que d'un poil à une chute vertigineuse dans le ravin. J'ai réussi à distinguer le visage de Bob – il souriait.

J'ai cru que mon cœur allait cesser de battre. « Mon Dieu ! Il se venge ! Il inflige à Matt le traitement que celui-ci a fait subir à son fils ! »

— Stop, Matt ! a soudain hurlé Charlie. Arrête-toi !

Sa voix a été noyée par le grondement des moteurs et le fracas du vent et de la pluie.

Matt avait repris de la vitesse, alors que Bob avait ralenti et repartait en chasse, poussant des cris de cow-boy déjanté, fonçant droit sur sa proie. Ce dernier s'est écarté sur la gauche, a longé le flanc de la montagne, a donné un coup de guidon sur la droite. Bob était si proche que les cailloux aiguisés éjectés par les roues de la Tourer lui entaillaient le visage. Il saignait, ce dont il semblait se moquer comme d'une guigne. Sa roue avant mordait celle arrière de sa proie.

Charlie a de nouveau crié – pour demander à Bob Jonson de s'arrêter, cette fois. Mais le père de Jonas s'est porté à la hauteur de Matt et s'est penché dans sa direction, le poussant de plus en plus près du précipice. Au sommet d'une colline, la roue avant de Bob a effleuré celle de Matt. Ça n'a semblé rien, juste un léger contact, mais ça a suffi.

Matt a perdu le contrôle de son engin. La Harley a bondi et s'est envolée en tournoyant avant de retomber dans le vide, comme au ralenti, assez lentement pour que Matt comprenne que c'en était fini, que c'était à cela que ressemblait la mort. La machine lui a échappé, et il a dégringolé en direction des eaux vertes du torrent. Il s'est écrasé sur un rocher, puis s'est enfoncé sous la surface. La moto a frappé la rivière au même instant. Avec Logan, nous sommes arrivés à temps pour la voir s'engloutir dans les remous, bien trop tard toutefois pour empêcher Matt Fortune de se noyer.

Bob a lui aussi assisté à la scène. Son sourire sans joie s'était effacé. Il avait le regard vide. Il a levé la tête pour contempler le ciel orageux, offrant son visage à la pluie, puis il a mis les gaz une dernière fois. Dans une volée de terre et de cailloux, il a filé droit sur le ravin. L'homme est tombé comme une pierre, avalé par la rivière ; la machine s'est écrasée contre des rochers, où elle est restée, tas de ferraille tordu.

Le lendemain, j'ai placé la rose rouge de Zoey à l'endroit exact où Jonas avait perdu la vie.

J'avais abandonné Ellerton sous le choc, en proie à l'incrédulité. J'étais accablée d'avoir assisté à ces deux décès supplémentaires. Je fuyais l'horreur et roulais vers l'avenir, en route pour la crête de Foxton et Phœnix, histoire de partager avec lui les derniers instants de Matt Fortune. J'avais également envie de savoir ce qu'il était advenu de Jonas.

Avais-je agi comme il le fallait ? ai-je songé en déposant la fleur sur les herbes du bas-côté agitées par le vent. Le soleil resplendissait dans un grand ciel bleu. J'avais conscience que je n'obtiendrais pas de réponse à ma question tant que je ne serais pas à la grange de la vieille ferme. J'ai donc regagné ma voiture, fredonnant l'air de *Always*, une chanson triste que Summer aimait à chanter. « Où que tu sois, je serai toujours à ton côté. Quand tu parleras, j'entendrai toujours ta voix... »

Au fil de la route du rocher de l'Ange, tout en jouissant de l'air tiède sur ma peau, je me suis remémoré le terrifiant voyage dans le temps que j'avais accompli seulement vingt-quatre heures plus tôt en compagnie de Hunter et de Matt. Le soleil arrachait des reflets roses et blancs au granit. J'ai laissé la voiture, puis j'ai couru dans les broussailles dont les feuilles viraient au cramoisi, à l'orange et à l'or sous le vent automnal. J'ai dépassé l'ombre du rocher de l'Ange, poursuivant ma course sans m'arrêter.

— Sois là ! ai-je chuchoté à Phœnix avant même d'apercevoir la maison et la grange.

La tempête l'avait peut-être renvoyé dans un endroit d'où il ne reviendrait jamais. Ou alors, je craignais encore que tout cela ne soit pas vraiment réel.

— Je t'en prie, sois là.

C'est alors qu'il a escaladé la colline, venant à ma rencontre, bras ouverts. Il m'a regardée dévaler vers lui, splendide dans son tee-shirt noir qui mettait en valeur sa large carrure, son beau visage empreint de gravité.

— Serre-moi fort ! lui ai-je ordonné.

Il s'est exécuté.

— Dieu soit loué, Darina ! ont murmuré ses lèvres à mon oreille.

Puis il a renversé mon visage en arrière et m'a embrassée, froid, lisse, splendide.

— Es-tu au courant de ce qui s'est passé ? ai-je demandé. Le père de Jonas a poussé Matt par-dessus le bord de la falaise, dans la rivière. Après, il s'est jeté dans le vide. C'était horrible. Tous deux sont morts.

Phœnix a resserré son étreinte, son pouce a caressé ma pommette, descendant le long de ma mâchoire, jusqu'au creux de ma clavicule.

— Tu as agi comme il le fallait, et mieux encore, a-t-il dit. Hunter nous a expliqué que tu avais supporté le voyage dans le temps avec beaucoup de courage. Et que ton intuition était juste depuis le début.

— Quand Bob Jonson a enfin su la vérité, il a flippé. Il a puni Matt comme ce dernier avait tué Jonas. Il voulait sa mort.

— Il s'est vengé, oui, a acquiescé Phœnix en fixant mes yeux, l'air de vouloir jauger l'ampleur de ma terreur. Ça va aller, a-t-il ajouté, rassurant. Avec le temps, tu admettras que c'était inscrit.

— Je regrette que Bob se soit suicidé, ai-je soudain lâché, éclatant en sanglots.

— Que lui restait-il qui lui donne envie de vivre ?

— Il avait les réponses à ses questions. Il aurait pu aller de l'avant.

— Pas dans ce monde, Darina. Tout ce qu'il possédait, il l'avait perdu.

Prenant ma main, Phœnix m'a entraînée en direction de la maison. Hunter se tenait dans l'encadrement de la porte de la grange, entouré par la petite bande des *Beautiful Dead.*

C'était bizarre. Sous le soleil éclatant, ils paraissaient plus beaux et plus vivants qu'auparavant. Surtout Hunter, qui avait l'air rajeuni, radouci, presque heureux.

— Où est parti Jonas ? me suis-je enquise en me rendant compte qu'il était absent du groupe.

— Viens, Hunter te le dira.

— Bienvenue, Darina, m'a lancé le suzerain en avançant d'un pas.

Il m'a contemplée avec affection, comme un père pourrait admirer sa fille.

— Grâce à toi, Jonas a obtenu justice, a-t-il enchaîné.

— Qu'est-il devenu ? ai-je demandé d'une voix tremblante.

— L'orage nous a envoyés dans une obscurité infinie. Jonas est resté avec nous dans les limbes. Nous ne pouvions qu'attendre et prier, tu étais notre unique espoir.

— Tu ne nous as pas laissé tomber, est intervenue Arizona avec une chaleur surprenante.

Près d'elle, Summer m'a adressé un sourire, comme prête à se jeter dans mes bras pour m'embrasser. Il faudrait cependant qu'elle patiente jusqu'à ce que Hunter en ait terminé avec moi.

— J'ai senti le moment exact où Matt Fortune est mort, a poursuivi celui-ci. Dans les limbes, j'ai eu une vision, celle d'un visage de noyé, d'une main coincée entre deux rochers acérés, du courant qui entraînait peu à peu un cadavre.

— Et Bob Jonson ? ai-je murmuré.

— Il nous a immédiatement rejoints. Il a été tué à l'instant où il heurtait la surface. J'ai vu son souffle le quitter, j'ai appelé Jonas. Je lui ai appris que son meurtrier était mort, ainsi que son père. Il a compris pourquoi ce dernier devait s'éteindre. Il l'a hélé dans les ténèbres. Bob a surgi, ils se sont embrassés, et ils ont poursuivi leur chemin ensemble.

« Pour où ? » ai-je failli lancer.

— Inutile de poser la question, m'a devancée Phœnix, qui avait lu dans mes pensées. Personne ici n'a la réponse. Nous savons juste qu'ils se sont éloignés, main dans la main.

— Et que tu as réussi ta première mission, a ajouté Hunter.

— Tu as gardé la foi, a chuchoté Summer en s'approchant pour m'enlacer.

— Tu es plus résistante que je ne le croyais, a admis Arizona.

— Chut ! ai-je protesté. J'ai fait ce que je pouvais, voilà tout. Et je recommencerai.

Hunter a hoché la tête.

— Chaque chose en son temps, Darina, a-t-il répondu en retrouvant un peu de son ancienne sévérité. Pour l'instant, tu dois rentrer chez toi et te reposer.

— Pas tout de suite, s'il vous plaît !

Maintenant que le cas de Jonas était réglé, je désirais par-dessus tout être avec Phœnix.

— Donne-nous un peu de temps, Hunter, a d'ailleurs renchéri ce dernier.

Le seigneur nous a dévisagés en réfléchissant.

— Une heure, a-t-il fini par décréter.

Soixante minutes ! J'ai sauté au cou de mon amoureux, qui m'a soulevée de terre. Summer et Arizona ont ri, Hunter a presque souri, puis les Revenants sont rentrés dans la grange.

— Allons-y !

Tout heureux, Phœnix m'a conduite à travers les herbes jaune pâle jusqu'à la berge du ruisseau. Il marchait en tête. Se frayant prudemment un chemin de pierre en pierre, il a sauté sur notre rocher préféré.

— Pieds nus ! ai-je crié en me déchaussant.

J'ai trempé mes orteils dans l'eau fraîche et cristalline.

— Regarde ! J'aperçois des pépites dorées dans le sable.

Se penchant, Phœnix a plongé un doigt sous la surface, ramassant des éclats de métal étincelants sur le bout de son index.

— Pyrite de fer, a-t-il diagnostiqué après les avoir observés.

— Qu'est-ce que c'est ?

— L'or des fous, a-t-il rigolé.

— Oh, ma version des pépites est plus chouette.

— Je l'adore. J'adore tout en toi.

Essayez donc un jour d'embrasser votre chéri sur un rocher lisse au beau milieu d'un torrent aux eaux vives. Ce n'est pas facile, mais nous y sommes parvenus. Une étreinte tendre, un baiser léger qui a duré une éternité. Puis nous avons regagné la rive et, pieds nus, avons marché dans l'herbe.

— Tu as oublié tes godasses, m'a rappelé Phœnix quand nous avons atteint le sommet de la crête.

Le réservoir d'eau ne procurait aucune ombre. Une brise agitait doucement les trembles dorés. Haussant les épaules, je me suis retournée pour examiner la ferme et la grange, leurs toits rouillés, leurs murs en rondins délavés, et la porte qui continuait de claquer. L'endroit ressemblait trait pour trait à ce qu'il était au début, à croire que personne n'en avait perturbé la quiétude et la solitude depuis cent ans.

Je sais que le cœur humain est une mécanique constituée de valves, de tubes, de muscles. J'ai suivi des cours de sciences nat', j'ai regardé des séries médicales à la télé avec leur content de sang, de saletés et d'horreurs. Alors, d'où venaient les émotions que j'ai éprouvées sur cette colline, tandis que j'enlaçais Phœnix, profitant des ultimes minutes de l'heure qui nous avait été accordée ? Un sentiment d'une puissance incroyable, à force de l'embrasser, de le sentir si proche, sachant qu'il signifiait tout pour moi, qu'il signifierait toujours tout.

Nous faisions partie de ce coteau sauvage. Nos âmes flottaient dans le vent, le ciel et les feuilles frémissantes.

Il n'a pas parlé. Ses lèvres ont effleuré les miennes une dernière fois, puis son étreinte s'est relâchée. Il m'a quittée avec un air si navré que mon cœur a fondu et que j'ai dû m'armer de la plus grande volonté pour ne pas courir derrière lui.

Mais j'ai perçu de doux battements d'ailes, l'avertissement de Hunter. Je suis restée sur place à suivre Phœnix des yeux, consciente que je reviendrais bientôt.

Composition et mise en page

CET OUVRAGE
A ÉTÉ ACHEVÉ D'IMPRIMER
SUR CAMERON
PAR L'IMPRIMERIE NIIAG
À BERGAME (ITALIE)
EN AVRIL 2010

N° d'édition : L.01EJEN000380.N001
Dépôt légal : juin 2010